L'avare

ŒUVRES PRINCIPALES

La jalousie du barbouillé
Le médecin volant
L'étourdi ou les contretemps
Le dépit amoureux
Les précieuses ridicules
Sganarelle
Dom Garcie de Navarre
L'école des maris
Les fâcheux
L'école des femmes
La critique de l'École des femmes
L'impromptu de Versailles
Le mariage forcé
La princesse d'Élide
Le Tartuffe
Dom Juan
L'amour médecin
Le Misanthrope
Le médecin malgré lui
Mélicerte
Pastorale comique
Le Sicilien ou l'amour peintre
Amphitryon
George Dandin
L'avare
Monsieur de Pourceaugnac
Les amants magnifiques
Le bourgeois gentilhomme
Psyché
Les fourberies de Scapin
La comtesse d'Escarbagnas
Les femmes savantes
Le malade imaginaire
Poésies

Molière

L'avare

Comédie
représentée pour la première fois à Paris
sur le théâtre du Palais-Royal
le 9ᵉ du mois de septembre de 1668
par la troupe du Roi

Librio

Texte intégral

PERSONNAGES

HARPAGON, père de Cléante et d'Élise, et amoureux de Mariane.
CLÉANTE, fils d'Harpagon, amant de Mariane.
ÉLISE, fille d'Harpagon, amante de Valère.
VALÈRE, fils d'Anselme, et amant d'Élise.
MARIANE, amante de Cléante, et aimée d'Harpagon.
ANSELME, père de Valère et de Mariane.
FROSINE, femme d'intrigue.
MAÎTRE SIMON, courtier.
MAÎTRE JACQUES, cuisinier et cocher d'Harpagon.
LA FLÈCHE, valet de Cléante.
DAME CLAUDE, servante d'Harpagon.
BRINDAVOINE, LA MERLUCHE, laquais d'Harpagon.
LE COMMISSAIRE ET SON CLERC.

La scène est à Paris.

ACTE PREMIER

SCÈNE 1

Valère, Élise

VALÈRE

Hé quoi? charmante Élise, vous devenez mélancolique, après les obligeantes assurances que vous avez eu la bonté de me donner de votre foi? Je vous vois soupirer, hélas! au milieu de ma joie! Est-ce du regret, dites-moi, de m'avoir fait heureux, et vous repentez-vous de cet engagement où mes feux ont pu vous contraindre?

ÉLISE

Non, Valère, je ne puis pas me repentir de tout ce que je fais pour vous. Je m'y sens entraîner par une trop douce puissance, et je n'ai pas même la force de souhaiter que les choses ne fussent pas. Mais, à vous dire vrai, le succès me donne de l'inquiétude; et je crains fort de vous aimer un peu plus que je ne devrais.

VALÈRE

Hé! que pouvez-vous craindre, Élise, dans les bontés que vous avez pour moi?

ÉLISE

Hélas! cent choses à la fois : l'emportement d'un père, les reproches d'une famille, les censures du monde; mais plus que tout, Valère, le changement de votre cœur, et cette froideur criminelle dont ceux de votre sexe payent le plus souvent les témoignages trop ardents d'une innocente amour.

Ah! ne me faites pas ce tort, de juger de moi par les autres. Soupçonnez-moi de tout, Élise, plutôt que de manquer à ce que je vous dois : je vous aime trop pour cela, et mon amour pour vous durera autant que ma vie.

ÉLISE

Ah! Valère, chacun tient les mêmes discours. Tous les hommes sont semblables par les paroles; et ce n'est que les actions qui les découvrent différents.

VALÈRE

Puisque les seules actions font connaître ce que nous sommes, attendez donc au moins à juger de mon cœur par elles, et ne me cherchez point des crimes dans les injustes craintes d'une fâcheuse prévoyance. Ne m'assassinez point, je vous prie, par les sensibles coups d'un soupçon outrageux, et donnez-moi le temps de vous convaincre, par mille et mille preuves, de l'honnêteté de mes feux.

ÉLISE

Hélas! qu'avec facilité on se laisse persuader par les personnes que l'on aime! Oui, Valère, je tiens votre cœur incapable de m'abuser. Je crois que vous m'aimez d'un véritable amour, et que vous me serez fidèle; je n'en veux point du tout douter, et je retranche mon chagrin aux appréhensions du blâme qu'on pourra me donner.

VALÈRE

Mais pourquoi cette inquiétude?

ÉLISE

Je n'aurais rien à craindre, si tout le monde vous voyait des yeux dont je vous vois, et je trouve en votre personne de quoi avoir raison aux choses que je fais pour vous. Mon cœur, pour sa défense, a tout votre mérite, appuyé du secours d'une reconnaissance où le Ciel m'engage envers vous. Je me représente à toute heure ce péril étonnant qui commença de nous offrir aux regards l'un de l'autre; cette

générosité surprenante qui vous fit risquer votre vie, pour
dérober la mienne à la fureur des ondes ; ces soins pleins
de tendresse que vous me fîtes éclater après m'avoir tirée
de l'eau, et les hommages assidus de cet ardent amour que
ni le temps ni les difficultés n'ont rebuté, et qui, vous fai-
sant négliger et parents et patrie, arrête vos pas en ces
lieux, y tient en ma faveur votre fortune déguisée, et vous
a réduit, pour me voir, à vous revêtir de l'emploi de
domestique de mon père. Tout cela fait chez moi sans
doute un merveilleux effet ; et c'en est assez à mes yeux
pour me justifier l'engagement où j'ai pu consentir ; mais
ce n'est pas assez peut-être pour le justifier aux autres, et
je ne suis pas sûre qu'on entre dans mes sentiments.

VALÈRE

De tout ce que vous avez dit, ce n'est que par mon seul
amour que je prétends auprès de vous mériter quelque
chose ; et quant aux scrupules que vous avez, votre père
lui-même ne prend que trop de soin de vous justifier à
tout le monde ; et l'excès de son avarice, et la manière aus-
tère dont il vit avec ses enfants pourraient autoriser des
choses plus étranges. Pardonnez-moi, charmante Élise, si
j'en parle ainsi devant vous. Vous savez que sur ce chapitre on n'en peut pas dire de bien. Mais enfin, si je puis,
comme je l'espère, retrouver mes parents, nous n'aurons
pas beaucoup de peine à nous le rendre favorable. J'en
attends des nouvelles avec impatience, et j'en irai chercher
moi-même, si elles tardent à venir.

ÉLISE

Ah ! Valère, ne bougez d'ici, je vous prie ; et songez seulement à vous bien mettre dans l'esprit de mon père.

VALÈRE

Vous voyez comme je m'y prends, et les adroites complai-
sances qu'il m'a fallu mettre en usage pour m'introduire à
son service ; sous quel masque de sympathie et de rapports
de sentiments je me déguise pour lui plaire, et quel per-
sonnage je joue tous les jours avec lui, afin d'acquérir sa

tendresse. J'y fais des progrès admirables; et j'éprouve que pour gagner les hommes, il n'est point de meilleure voie que de se parer à leurs yeux de leurs inclinations, que de donner dans leurs maximes, encenser leurs défauts, et applaudir à ce qu'ils font. On n'a que faire d'avoir peur de trop charger la complaisance; et la manière dont on les joue a beau être visible, les plus fins toujours sont de grandes dupes du côté de la flatterie; et il n'y a rien de si impertinent et de si ridicule qu'on ne fasse avaler lorsqu'on l'assaisonne en louange. La sincérité souffre un peu au métier que je fais; mais quand on a besoin des hommes, il faut bien s'ajuster à eux; et puisqu'on ne saurait les gagner que par là, ce n'est pas la faute de ceux qui flattent, mais de ceux qui veulent être flattés.

ÉLISE

Mais que ne tâchez-vous aussi à gagner l'appui de mon frère, en cas que la servante s'avisât de révéler notre secret?

VALÈRE

On ne peut pas ménager l'un et l'autre; et l'esprit du père et celui du fils sont des choses si opposées qu'il est difficile d'accommoder ces deux confidences ensemble. Mais vous, de votre part, agissez auprès de votre frère, et servez-vous de l'amitié qui est entre vous deux pour le jeter dans nos intérêts. Il vient, je me retire. Prenez ce temps pour lui parler; et ne lui découvrez de notre affaire que ce que vous jugerez à propos.

ÉLISE

Je ne sais si j'aurai la force de lui faire cette confidence.

SCÈNE 2

Cléante, Élise

CLÉANTE

Je suis bien aise de vous trouver seule, ma sœur; et je brûlais de vous parler, pour m'ouvrir à vous d'un secret.

ÉLISE

Me voilà prête à vous ouïr, mon frère. Qu'avez-vous à me dire?

CLÉANTE

Bien des choses, ma sœur, enveloppées dans un mot: j'aime.

ÉLISE

Vous aimez?

CLÉANTE

Oui, j'aime. Mais avant que d'aller plus loin, je sais que je dépends d'un père, et que le nom de fils me soumet à ses volontés; que nous ne devons point engager notre foi sans le consentement de ceux dont nous tenons le jour; que le Ciel les a faits les maîtres de nos vœux, et qu'il nous est enjoint de n'en disposer que par leur conduite; que n'étant prévenus d'aucune folle ardeur, ils sont en état de se tromper bien moins que nous, et de voir beaucoup mieux ce qui nous est propre; qu'il en faut plutôt croire les lumières de leur prudence que l'aveuglement de notre passion; et que l'emportement de la jeunesse nous entraîne le plus souvent dans des précipices fâcheux. Je vous dis tout cela, ma sœur, afin que vous ne vous donniez pas la peine de me le dire; car enfin mon amour ne veut rien écouter, et je vous prie de ne me point faire de remontrances.

ÉLISE

Vous êtes-vous engagé, mon frère, avec celle que vous aimez?

CLÉANTE

Non, mais j'y suis résolu; et je vous conjure encore une fois de ne me point apporter de raisons pour m'en dissuader.

ÉLISE

Suis-je, mon frère, une si étrange personne?

CLÉANTE

Non, ma sœur; mais vous n'aimez pas : vous ignorez la douce violence qu'un tendre amour fait sur nos cœurs, et j'appréhende votre sagesse.

ÉLISE

Hélas! mon frère, ne parlons point de ma sagesse. Il n'est personne qui n'en manque, du moins une fois en sa vie! et si je vous ouvre mon cœur, peut-être serai-je à vos yeux bien moins sage que vous.

CLÉANTE

Ah! plût au Ciel que votre âme, comme la mienne...

ÉLISE

Finissons auparavant votre affaire, et me dites qui est celle que vous aimez.

CLÉANTE

Une jeune personne qui loge depuis peu en ces quartiers, et qui semble être faite pour donner de l'amour à tous ceux qui la voient. La nature, ma sœur, n'a rien formé de plus aimable; et je me sentis transporté dès le moment que je la vis. Elle se nomme Mariane, et vit sous la conduite d'une bonne femme de mère, qui est presque toujours malade, et pour qui cette aimable fille a des sentiments d'amitié qui ne sont pas imaginables. Elle la sert, la

plaint, et la console avec une tendresse qui vous touche-
rait l'âme. Elle se prend d'un air le plus charmant du
monde aux choses qu'elle fait, et l'on voit briller mille
grâces en toutes ses actions : une douceur pleine
d'attraits, une bonté tout engageante, une honnêteté adorable, une... Ah! ma sœur, je voudrais que vous l'eussiez
vue.

ÉLISE

J'en vois beaucoup, mon frère, dans les choses que vous
me dites; et pour comprendre ce qu'elle est, il me suffit
que vous l'aimez.

CLÉANTE

J'ai découvert sous main qu'elles ne sont pas fort
accommodées, et que leur discrète conduite a de la peine
à étendre à tous leurs besoins le bien qu'elles peuvent
avoir. Figurez-vous, ma sœur, quelle joie ce peut être que
de relever la fortune d'une personne que l'on aime; que
de donner adroitement quelques petits secours aux
modestes nécessités d'une vertueuse famille; et concevez
quel déplaisir ce m'est de voir que, par l'avarice d'un père,
je sois dans l'impuissance de goûter cette joie, et de faire
éclater à cette belle aucun témoignage de mon amour.

ÉLISE

Oui, je conçois assez, mon frère, quel doit être votre chagrin.

CLÉANTE

Ah! ma sœur, il est plus grand qu'on ne peut croire. Car
enfin peut-on rien voir de plus cruel que cette rigoureuse
épargne qu'on exerce sur nous, que cette sécheresse
étrange où l'on nous fait languir? Et que nous servira
d'avoir du bien, s'il ne nous vient que dans le temps que
nous ne serons plus dans le bel âge d'en jouir, et si pour
m'entretenir même, il faut que maintenant je m'engage de
tous côtés, si je suis réduit avec vous à chercher tous les
jours le secours des marchands, pour avoir moyen de por-

ter des habits raisonnables ? Enfin j'ai voulu vous parler, pour m'aider à sonder mon père sur les sentiments où je suis ; et si je l'y trouve contraire, j'ai résolu d'aller en d'autres lieux, avec cette aimable personne, jouir de la fortune que le Ciel voudra nous offrir. Je fais chercher partout pour ce dessein de l'argent à emprunter ; et si vos affaires, ma sœur, sont semblables aux miennes, et qu'il faille que notre père s'oppose à nos désirs, nous le quitterons là tous les deux et nous affranchirons de cette tyrannie où nous tient depuis si longtemps son avarice insupportable.

ÉLISE

Il est bien vrai que, tous les jours, il nous donne de plus en plus sujet de regretter la mort de notre mère, et que...

CLÉANTE

J'entends sa voix. Éloignons-nous un peu, pour nous achever notre confidence ; et nous joindrons après nos forces pour venir attaquer la dureté de son humeur.

SCÈNE 3

Harpagon, La Flèche

HARPAGON

Hors d'ici tout à l'heure, et qu'on ne réplique pas. Allons, que l'on détale de chez moi, maître juré filou, vrai gibier de potence.

LA FLÈCHE

Je n'ai jamais rien vu de si méchant que ce maudit vieillard et je pense, sauf correction, qu'il a le diable au corps.

HARPAGON

Tu murmures entre tes dents.

LA FLÈCHE

Pourquoi me chassez-vous ?

HARPAGON

C'est bien à toi, pendard, à me demander des raisons ;
sors vite, que je ne t'assomme.

LA FLÈCHE

Qu'est-ce que je vous ai fait ?

HARPAGON

Tu m'as fait que je veux que tu sortes.

LA FLÈCHE

Mon maître, votre fils, m'a donné ordre de l'attendre.

HARPAGON

Va-t'en l'attendre dans la rue, et ne sois point dans ma
maison planté tout droit comme un piquet, à observer ce
qui se passe, et faire ton profit de tout. Je ne veux point
avoir sans cesse devant moi un espion de mes affaires, un
traître, dont les yeux maudits assiègent toutes mes
actions, dévorent ce que je possède, et furètent de tous
côtés pour voir s'il n'y a rien à voler.

LA FLÈCHE

Comment diantre voulez-vous qu'on fasse pour vous
voler ? Êtes-vous un homme volable, quand vous renfer-
mez toutes choses, et faites sentinelle jour et nuit ?

HARPAGON

Je veux renfermer ce que bon me semble, et faire sentinelle comme il me plaît. Ne voilà pas de mes mouchards,
qui prennent garde à ce qu'on fait ? Je tremble qu'il n'ait
soupçonné quelque chose de mon argent. Ne serais-tu
point homme à aller faire courir le bruit que j'ai chez moi
de l'argent caché ?

LA FLÈCHE

Vous avez de l'argent caché?

HARPAGON

Non, coquin, je ne dis pas cela. *(À part.)* J'enrage. Je
demande si malicieusement tu n'irais point faire courir le
bruit que j'en ai.

LA FLÈCHE

Hé! que nous importe que vous en ayez ou que vous n'en
ayez pas, si c'est pour nous la même chose?

HARPAGON

Tu fais le raisonneur. Je te baillerai de ce raisonnement-ci
par les oreilles. *(Il lève la main pour lui donner un soufflet.)*
Sors d'ici, encore une fois.

LA FLÈCHE

Hé bien! je sors.

HARPAGON

Attends. Ne m'emportes-tu rien?

LA FLÈCHE

Que vous emporterais-je?

HARPAGON

Viens çà, que je voie. Montre-moi tes mains.

LA FLÈCHE

Les voilà.

HARPAGON

Les autres.

LA FLÈCHE

Les autres?

HARPAGON

Oui.

LA FLÈCHE

Les voilà.

HARPAGON

N'as-tu rien mis ici dedans?

LA FLÈCHE

Voyez vous-même.

HARPAGON *(Il tâte le bas de ses chausses.)*

Ces grands hauts-de-chausses sont propres à devenir les receleurs des choses qu'on dérobe; et je voudrais qu'on en eût fait pendre quelqu'un.

LA FLÈCHE

Ah! qu'un homme comme cela mériterait bien ce qu'il craint! et que j'aurais de joie à le voler!

HARPAGON

Euh?

LA FLÈCHE

Quoi?

HARPAGON

Qu'est-ce que tu parles de voler?

LA FLÈCHE

Je dis que vous fouillez bien partout, pour voir si je vous ai volé.

HARPAGON

C'est ce que je veux faire.

Il fouille dans les poches de La Flèche.

LA FLÈCHE

La peste soit de l'avarice et des avaricieux!

HARPAGON

Comment? que dis-tu?

LA FLÈCHE

Ce que je dis?

HARPAGON

Oui : qu'est-ce que tu dis d'avarice et d'avaricieux!

LA FLÈCHE

Je dis que la peste soit de l'avarice et des avaricieux.

HARPAGON

De qui veux-tu parler?

LA FLÈCHE

Des avaricieux.

HARPAGON

Et qui sont-ils ces avaricieux?

LA FLÈCHE

Des vilains et des ladres.

HARPAGON

Mais qui est-ce que tu entends par là?

LA FLÈCHE

De quoi vous mettez-vous en peine?

HARPAGON

Je me mets en peine de ce qu'il faut.

LA FLÈCHE

Est-ce que vous croyez que je veux parler de vous?

HARPAGON

Je crois ce que je crois ; mais je veux que tu me dises à qui
tu parles quand tu dis cela.

LA FLÈCHE

Je parle... je parle à mon bonnet.

HARPAGON

Et moi, je pourrais bien parler à ta barrette.

LA FLÈCHE

M'empêcherez-vous de maudire les avaricieux ?

HARPAGON

Non ; mais je t'empêcherai de jaser, et d'être insolent.
Tais-toi.

LA FLÈCHE

Je ne nomme personne.

HARPAGON

Je te rosserai, si tu parles.

LA FLÈCHE

Qui se sent morveux, qu'il se mouche.

HARPAGON

Te tairas-tu ?

LA FLÈCHE

Oui, malgré moi.

HARPAGON

Ha ! ha !

LA FLÈCHE, *lui montrant une des poches de son justaucorps*
Tenez, voilà encore une poche ; êtes-vous satisfait ?

HARPAGON

Allons, rends-le-moi sans te fouiller.

LA FLÈCHE

Quoi?

HARPAGON

Ce que tu m'as pris.

LA FLÈCHE

Je ne vous ai rien pris du tout.

HARPAGON

Assurément?

LA FLÈCHE

Assurément.

HARPAGON

Adieu : va-t'en à tous les diables.

LA FLÈCHE

Me voilà fort bien congédié.

HARPAGON

Je te le mets sur ta conscience, au moins. Voilà un pendard de valet qui m'incommode fort, et je ne me plais point à voir ce chien de boiteux-là.

SCÈNE 4

Élise, Cléante, Harpagon

HARPAGON

Certes ce n'est pas une petite peine que de garder chez soi une grande somme d'argent; et bienheureux qui a tout son fait bien placé, et ne conserve seulement que ce qu'il faut pour sa dépense. On n'est pas peu embarrassé à inventer dans toute une maison une cache fidèle ; car pour moi, les coffres-forts me sont suspects, et je ne veux jamais m'y fier : je les tiens justement une franche amorce à voleurs, et c'est toujours la première chose que l'on va attaquer. Cependant je ne sais si j'aurai bien fait d'avoir enterré dans mon jardin dix mille écus qu'on me rendit hier. Dix mille écus en or chez soi est une somme assez...

Ici le frère et la sœur paraissent s'entretenant bas.

Ô Ciel ! je me serai trahi moi-même : la chaleur m'aura emporté, et je crois que j'ai parlé haut en raisonnant tout seul. Qu'est-ce ?

CLÉANTE
Rien, mon père.

HARPAGON
Y a-t-il longtemps que vous êtes là ?

ÉLISE
Nous ne venons que d'arriver.

HARPAGON
Vous avez entendu...

CLÉANTE
Quoi, mon père ?

HARPAGON
Là...

ÉLISE
Quoi ?

HARPAGON
Ce que je viens de dire.

CLÉANTE

Non.

HARPAGON

Si fait, si fait.

ÉLISE

Pardonnez-moi.

HARPAGON

Je vois bien que vous en avez ouï quelques mots. C'est que je m'entretenais en moi-même de la peine qu'il y a aujourd'hui à trouver de l'argent, et je disais qu'il est bien heureux qui peut avoir dix mille écus chez soi.

CLÉANTE

Nous feignions à vous aborder, de peur de vous interrompre.

HARPAGON

Je suis bien aise de vous dire cela, afin que vous n'alliez pas prendre les choses de travers et vous imaginer que je dise que c'est moi qui ai dix mille écus.

CLÉANTE

Nous n'entrons point dans vos affaires.

HARPAGON

Plût à Dieu que je les eusse, dix mille écus!

CLÉANTE

Je ne crois pas...

HARPAGON

Ce serait une bonne affaire pour moi.

ÉLISE

Ce sont des choses...

20

HARPAGON

J'en aurais bon besoin.

CLÉANTE

Je pense que...

HARPAGON

Cela m'accommoderait fort.

ÉLISE

Vous êtes...

HARPAGON

Et je ne me plaindrais pas, comme je fais, que le temps est misérable.

CLÉANTE

Mon Dieu! mon père, vous n'avez pas lieu de vous plaindre, et l'on sait que vous avez assez de bien.

HARPAGON

Comment? j'ai assez de bien! Ceux qui le disent en ont menti. Il n'y a rien de plus faux; et ce sont des coquins qui font courir tous ces bruits-là.

ÉLISE

Ne vous mettez point en colère.

HARPAGON

Cela est étrange, que mes propres enfants me trahissent et deviennent mes ennemis!

CLÉANTE

Est-ce être votre ennemi, que de dire que vous avez du bien!

HARPAGON

Oui : de pareils discours et les dépenses que vous faites seront cause qu'un de ces jours on me viendra chez moi couper la gorge, dans la pensée que je suis tout cousu de pistoles.

CLÉANTE

Quelle grande dépense est-ce que je fais ?

HARPAGON

Quelle ? Est-il rien de plus scandaleux que ce somptueux équipage que vous promenez par la ville ? Je querellais hier votre sœur ; mais c'est encore pis. Voilà qui crie vengeance au Ciel ; et à vous prendre depuis les pieds jusqu'à la tête, il y aurait là de quoi faire une bonne constitution. Je vous l'ai dit vingt fois, mon fils, toutes vos manières me déplaisent fort : vous donnez furieusement dans le marquis ; et pour aller ainsi vêtu, il faut bien que vous me dérobiez.

CLÉANTE

Hé ! comment vous dérober ?

HARPAGON

Que sais-je ? Où pouvez-vous donc prendre de quoi entretenir l'état que vous portez ?

CLÉANTE

Moi, mon père ? C'est que je joue ; et comme je suis fort heureux, je mets sur moi tout l'argent que je gagne.

HARPAGON

C'est fort mal fait. Si vous êtes heureux au jeu, vous en devriez profiter, et mettre à honnête intérêt l'argent que vous gagnez afin de le trouver un jour. Je voudrais bien savoir, sans parler du reste, à quoi servent tous ces rubans dont vous voilà lardé depuis les pieds jusqu'à la tête, et si une demi-douzaine d'aiguillettes ne suffit pas pour attacher un haut-de-chausses ? Il est bien nécessaire d'employer de l'argent à des perruques, lorsque l'on peut porter des cheveux de son cru, qui ne coûtent rien. Je vais gager qu'en perruques et rubans, il y a du moins vingt pistoles; et vingt pistoles rapportent par année dix-huit livres six sols huit deniers, à ne les placer qu'au denier douze.

CLÉANTE

Vous avez raison.

HARPAGON

Laissons cela, et parlons d'autre affaire. Euh? Je crois qu'ils se font signe l'un à l'autre de me voler ma bourse. Que veulent dire ces gestes-là?

ÉLISE

Nous marchandons, mon frère et moi, à qui parlera le premier; et nous avons tous deux quelque chose à vous dire.

HARPAGON

Et moi, j'ai quelque chose aussi à vous dire à tous deux.

CLÉANTE

C'est de mariage, mon père, que nous désirons vous parler.

HARPAGON

Et c'est de mariage aussi que je veux vous entretenir.

ÉLISE

Ah! mon père!

HARPAGON

Pourquoi ce cri? Est-ce le mot, ma fille, ou la chose, qui vous fait peur?

CLÉANTE

Le mariage peut nous faire peur à tous deux, de la façon que vous pouvez l'entendre; et nous craignons que nos sentiments ne soient pas d'accord avec votre choix.

HARPAGON

Un peu de patience. Ne vous alarmez point. Je sais ce qu'il faut à tous deux; et vous n'aurez ni l'un ni l'autre aucun lieu de vous plaindre de tout ce que je prétends faire. Et pour commencer par un bout : avez-vous vu, dites-moi, une jeune personne appelée Mariane, qui ne loge pas loin d'ici?

CLÉANTE

Oui, mon père.

HARPAGON

Et vous?

ÉLISE

J'en ai ouï parler.

HARPAGON

Comment, mon fils, trouvez-vous cette fille?

CLÉANTE

Une fort charmante personne.

HARPAGON

Sa physionomie?

CLÉANTE

Tout honnête, et pleine d'esprit.

HARPAGON

Son air et sa manière?

CLÉANTE

Admirables, sans doute.

HARPAGON

Ne croyez-vous pas qu'une fille comme cela mériterait assez que l'on songeât à elle?

CLÉANTE

Oui, mon père.

HARPAGON

Que ce serait un parti souhaitable?

CLÉANTE

Très souhaitable.

HARPAGON

Qu'elle a toute la mine de faire un bon ménage?

CLÉANTE

Sans doute.

HARPAGON

Et qu'un mari aurait satisfaction avec elle?

CLÉANTE

Assurément.

HARPAGON

Il y a une petite difficulté : c'est que j'ai peur qu'il n'y ait pas avec elle tout le bien qu'on pourrait prétendre.

CLÉANTE

Ah! mon père, le bien n'est pas considérable, lorsqu'il est question d'épouser une honnête personne.

HARPAGON

Pardonnez-moi, pardonnez-moi. Mais ce qu'il y a à dire, c'est que, si l'on n'y trouve pas tout le bien qu'on souhaite, on peut tâcher de regagner cela sur autre chose.

CLÉANTE

Cela s'entend.

HARPAGON

Enfin je suis bien aise de vous voir dans mes sentiments ; car son maintien honnête et sa douceur m'ont gagné l'âme, et je suis résolu de l'épouser, pourvu que j'y trouve quelque bien.

CLÉANTE

Euh ?

HARPAGON

Comment ?

CLÉANTE

Vous êtes résolu, dites-vous... ?

HARPAGON

D'épouser Mariane.

CLÉANTE

Qui, vous ? vous ?

HARPAGON

Oui, moi, moi, moi. Que veut dire cela ?

CLÉANTE

Il m'a pris tout à coup un éblouissement, et je me retire d'ici.

HARPAGON

Cela ne sera rien. Allez vite boire dans la cuisine un grand verre d'eau claire. Voilà de mes damoiseaux flouets, qui n'ont non plus de vigueur que des poules. C'est là, ma fille, ce que j'ai résolu pour moi. Quant à ton frère, je lui destine une certaine veuve dont ce matin on m'est venu parler ; et pour toi, je te donne au seigneur Anselme.

ÉLISE

Au seigneur Anselme ?

HARPAGON

Oui, un homme mûr, prudent et sage, qui n'a pas plus de cinquante ans, et dont on vante les grands biens.

ÉLISE *(Elle fait une révérence.)*

Je ne veux point me marier, mon père, s'il vous plaît.

HARPAGON *(Il contrefait la révérence.)*

Et moi, ma petite fille, ma mie, je veux que vous vous mariiez, s'il vous plaît.

ÉLISE

Je vous demande pardon, mon père.

HARPAGON

Je vous demande pardon, ma fille.

ÉLISE

Je suis très humble servante au seigneur Anselme ; mais, avec votre permission, je ne l'épouserai point.

HARPAGON

Je suis votre très humble valet ; mais, avec votre permission, vous l'épouserez dès ce soir.

ÉLISE

Dès ce soir ?

HARPAGON

Dès ce soir.

ÉLISE

Cela ne sera pas, mon père.

HARPAGON

Cela sera, ma fille.

ÉLISE

Non.

HARPAGON

Si.

ÉLISE

Non, vous dis-je.

HARPAGON

Si, vous dis-je.

ÉLISE

C'est une chose où vous ne me réduirez point.

HARPAGON

C'est une chose où je te réduirai.

ÉLISE

Je me tuerai plutôt que d'épouser un tel mari.

HARPAGON

Tu ne te tueras point, et tu l'épouseras. Mais voyez quelle audace ! A-t-on jamais vu une fille parler de la sorte à son père ?

ÉLISE

Mais a-t-on jamais vu un père marier sa fille de la sorte ?

HARPAGON

C'est un parti où il n'y a rien à redire ; et je gage que tout le monde approuvera mon choix.

ÉLISE

Et moi, je gage qu'il ne saurait être approuvé d'aucune personne raisonnable.

HARPAGON

Voilà Valère : veux-tu qu'entre nous deux nous le fassions juge de cette affaire ?

ÉLISE

J'y consens.

HARPAGON

Te rendras-tu à son jugement?

ÉLISE

Oui, j'en passerai par ce qu'il dira.

HARPAGON

Voilà qui est fait.

SCÈNE 5

Valère, Harpagon, Élise

HARPAGON

Ici, Valère. Nous t'avons élu pour nous dire qui a raison,
de ma fille ou de moi.

VALÈRE

C'est vous, Monsieur, sans contredit.

HARPAGON

Sais-tu bien de quoi nous parlons?

VALÈRE

Non, mais vous ne sauriez avoir tort, et vous êtes toute
raison.

HARPAGON

Je veux ce soir lui donner pour époux un homme aussi
riche que sage; et la coquine me dit au nez qu'elle se
moque de le prendre. Que dis-tu de cela?

VALÈRE

Ce que j'en dis?

HARPAGON

Oui.

VALÈRE

Eh, eh.

HARPAGON

Quoi?

VALÈRE

Je dis que dans le fond je suis de votre sentiment; et vous ne pouvez pas que vous n'ayez raison. Mais aussi n'a-t-elle pas tort tout à fait, et...

HARPAGON

Comment? le seigneur Anselme est un parti considérable, c'est un gentilhomme qui est noble, doux, posé, sage, et fort accommodé, et auquel il ne reste aucun enfant de son premier mariage. Saurait-elle mieux rencontrer?

VALÈRE

Cela est vrai. Mais elle pourrait vous dire que c'est un peu précipiter les choses, et qu'il faudrait au moins quelque temps pour voir si son inclination pourra s'accommoder avec...

HARPAGON

C'est une occasion qu'il faut prendre vite aux cheveux. Je trouve ici un avantage qu'ailleurs je ne trouverais pas, et il s'engage à la prendre sans dot.

VALÈRE

Sans dot?

HARPAGON

Oui.

Ah! je ne dis plus rien. Voyez-vous? voilà une raison tout à fait convaincante; il se faut rendre à cela.

HARPAGON

C'est pour moi une épargne considérable.

VALÈRE

Assurément, cela ne reçoit point de contradiction. Il est vrai que votre fille vous peut représenter que le mariage est une plus grande affaire qu'on ne peut croire; qu'il y va d'être heureux ou malheureux toute sa vie; et qu'un engagement qui doit durer jusqu'à la mort ne se doit jamais faire qu'avec de grandes précautions.

HARPAGON

Sans dot.

VALÈRE

Vous avez raison : voilà qui décide tout, cela s'entend. Il y a des gens qui pourraient vous dire qu'en de telles occasions l'inclination d'une fille est une chose sans doute où l'on doit avoir de l'égard; et que cette grande inégalité d'âge, d'humeur et de sentiments, rend un mariage sujet à des accidents très fâcheux.

HARPAGON

Sans dot.

VALÈRE

Ah! il n'y a pas de réplique à cela : on le sait bien; qui diantre peut aller là contre? Ce n'est pas qu'il n'y ait quantité de pères qui aimeraient mieux ménager la satisfaction de leurs filles que l'argent qu'ils pourraient donner; qui ne les voudraient point sacrifier à l'intérêt, et chercheraient plus que toute autre chose à mettre dans un mariage cette douce conformité qui sans cesse y maintient l'honneur, la tranquillité et la joie, et que...

HARPAGON

Sans dot.

VALÈRE

Il est vrai : cela ferme la bouche à tout, *sans dot*. Le moyen de résister à une raison comme celle-là ?

HARPAGON *(Il regarde vers le jardin.)*

Ouais ! il me semble que j'entends un chien qui aboie. N'est-ce point qu'on en voudrait à mon argent ? Ne bougez, je reviens tout à l'heure.

ÉLISE

Vous moquez-vous, Valère, de lui parler comme vous faites ?

VALÈRE

C'est pour ne point l'aigrir, et pour en venir mieux à bout. Heurter de front ses sentiments est le moyen de tout gâter ; et il y a de certains esprits qu'il ne faut prendre qu'en biaisant, des tempéraments ennemis de toute résistance, des naturels rétifs, que la vérité fait cabrer, qui toujours se roidissent contre le droit chemin de la raison, et qu'on ne mène qu'en tournant où l'on veut les conduire. Faites semblant de consentir à ce qu'il veut, vous en viendrez mieux à vos fins, et...

ÉLISE

Mais ce mariage, Valère ?

VALÈRE

On cherchera des biais pour le rompre.

ÉLISE

Mais quelle invention trouver, s'il se doit conclure ce soir ?

VALÈRE

Il faut demander un délai, et feindre quelque maladie.

ÉLISE

Mais on découvrira la feinte, si l'on appelle des médecins.

VALÈRE

Vous moquez-vous? Y connaissent-ils quelque chose? Allez, allez, vous pourrez avec eux avoir quel mal il vous plaira, ils vous trouveront des raisons pour vous dire d'où cela vient.

HARPAGON

Ce n'est rien, Dieu merci.

VALÈRE

Enfin notre dernier recours, c'est que la fuite nous peut mettre à couvert de tout; et si votre amour, belle Élise, est capable d'une fermeté... *(Il aperçoit Harpagon.)* Oui, il faut qu'une fille obéisse à son père. Il ne faut point qu'elle regarde comme un mari est fait, et lorsque la grande raison de *sans dot* s'y rencontre, elle doit être prête à prendre tout ce qu'on lui donne.

HARPAGON

Bon. Voilà bien parlé, cela.

VALÈRE

Monsieur, je vous demande pardon si je m'emporte un peu et prends la hardiesse de lui parler comme je fais.

HARPAGON

Comment? j'en suis ravi, et je veux que tu prennes sur elle un pouvoir absolu. Oui, tu as beau fuir. Je lui donne l'autorité que le Ciel me donne sur toi, et j'entends que tu fasses tout ce qu'il te dira.

VALÈRE

Après cela, résistez à mes remontrances. Monsieur, je vais la suivre, pour lui continuer les leçons que je lui faisais.

HARPAGON

Oui, tu m'obligeras. Certes...

VALÈRE

Il est bon de lui tenir un peu la bride haute.

HARPAGON

Cela est vrai. Il faut...

VALÈRE

Ne vous mettez pas en peine. Je crois que j'en viendrai à bout.

HARPAGON

Fais, fais. Je m'en vais faire un petit tour en ville, et reviens tout à l'heure.

VALÈRE

Oui, l'argent est plus précieux que toutes les choses du monde, et vous devez rendre grâces au Ciel de l'honnête homme de père qu'il vous a donné. Il sait ce que c'est que de vivre. Lorsqu'on s'offre de prendre une fille sans dot, on ne doit point regarder plus avant. Tout est renfermé là-dedans, et *sans dot* tient de beauté, de jeunesse, de naissance, d'honneur, de sagesse et de probité.

HARPAGON

Ah! le brave garçon! Voilà parlé comme un oracle. Heureux qui peut avoir un domestique de la sorte!

ACTE II

SCÈNE 1

Cléante, La Flèche

CLÉANTE

Ah! traître que tu es, où t'es-tu donc allé fourrer? Ne t'avais-je pas donné ordre...

LA FLÈCHE

Oui, Monsieur, et je m'étais rendu ici pour vous attendre de pied ferme; mais Monsieur votre père, le plus malgracieux des hommes, m'a chassé dehors malgré moi, et j'ai couru le risque d'être battu.

CLÉANTE

Comment va notre affaire? Les choses pressent plus que jamais; et depuis que je ne t'ai vu, j'ai découvert que mon père est mon rival.

LA FLÈCHE

Votre père amoureux?

CLÉANTE

Oui; et j'ai eu toutes les peines du monde à lui cacher le trouble où cette nouvelle m'a mis.

LA FLÈCHE

Lui se mêler d'aimer! De quoi diable s'avise-t-il? Se moque-t-il du monde? Et l'amour a-t-il été fait pour des gens bâtis comme lui?

CLÉANTE

Il a fallu, pour mes péchés, que cette passion lui soit venue
en tête.

LA FLÈCHE

Mais par quelle raison lui faire un mystère de votre
amour?

CLÉANTE

Pour lui donner moins de soupçon, et me conserver au
besoin des ouvertures plus aisées pour détourner ce
mariage. Quelle réponse t'a-t-on faite?

LA FLÈCHE

Ma foi! Monsieur, ceux qui empruntent sont bien malheureux; et il faut essuyer d'étranges choses lorsqu'on en
est réduit à passer, comme vous, par les mains des fesse-
mathieux.

CLÉANTE

L'affaire ne se fera point?

LA FLÈCHE

Pardonnez-moi. Notre maître Simon, le courtier qu'on
nous a donné, homme agissant et plein de zèle, dit qu'il a
fait rage pour vous; et il assure que votre seule physionomie lui a gagné le cœur.

CLÉANTE

J'aurai les quinze mille francs que je demande?

LA FLÈCHE

Oui; mais à quelques petites conditions, qu'il faudra que
vous acceptiez, si vous avez dessein que les choses se
fassent.

CLÉANTE

T'a-t-il fait parler à celui qui doit prêter l'argent?

Ah! vraiment, cela ne va pas de la sorte. Il apporte encore plus de soin à se cacher que vous, et ce sont des mystères bien plus grands que vous ne pensez. On ne veut point du tout dire son nom, et l'on doit aujourd'hui l'aboucher avec vous, dans une maison empruntée, pour être instruit, par votre bouche, de votre bien et de votre famille ; et je ne doute point que le seul nom de votre père ne rende les choses faciles.

CLÉANTE

Et principalement notre mère étant morte, dont on ne peut m'ôter le bien.

LA FLÈCHE

Voici quelques articles qu'il a dictés lui-même à notre entremetteur, pour vous être montrés, avant que de rien faire :

Supposé que le prêteur voie toutes ses sûretés, et que l'emprunteur soit majeur, et d'une famille où le bien soit ample, solide, assuré, clair, et net de tout embarras, on fera une bonne et exacte obligation par-devant un notaire, le plus honnête homme qu'il se pourra, et qui, pour cet effet, sera choisi par le prêteur, auquel il importe le plus que l'acte soit dûment dressé.

CLÉANTE

Il n'y a rien à dire à cela.

LA FLÈCHE

Le prêteur, pour ne charger sa conscience d'aucun scrupule, prétend ne donner son argent qu'au denier dix-huit.

CLÉANTE

Au denier dix-huit? Parbleu! voilà qui est honnête. Il n'y a pas lieu de se plaindre.

LA FLÈCHE

Cela est vrai.

Mais comme ledit prêteur n'a pas chez lui la somme dont il est question, et que pour faire plaisir à l'emprunteur, il est contraint lui-même de l'emprunter d'un autre, sur le pied du denier cinq, il conviendra que ledit premier emprunteur paye cet intérêt, sans préjudice du reste, attendu que ce n'est que pour l'obliger que ledit prêteur s'engage à cet emprunt.

CLÉANTE

Comment diable! quel Juif, quel Arabe est-ce-là? C'est plus qu'au denier quatre.

LA FLÈCHE

Il est vrai; c'est ce que j'ai dit. Vous avez à voir là-dessus.

CLÉANTE

Que veux-tu que je voie? J'ai besoin d'argent; et il faut bien que je consente à tout.

LA FLÈCHE

C'est la réponse que j'ai faite.

CLÉANTE

Il y a encore quelque chose?

LA FLÈCHE

Ce n'est plus qu'un petit article.

Des quinze mille francs qu'on demande, le prêteur ne pourra compter en argent que douze mille livres, et pour les mille écus restants, il faudra que l'emprunteur prenne les hardes, nippes, et bijoux dont s'ensuit le mémoire, et que ledit prêteur a mis, de bonne foi, au plus modique prix qu'il lui a été possible.

CLÉANTE

Que veut dire cela?

Écoutez le mémoire.

Premièrement, un lit de quatre pieds, à bandes de points de Hongrie, appliqués fort proprement sur un drap de couleur d'olive, avec six chaises et la courtepointe de même ; le tout bien conditionné, et doublé d'un petit taffetas changeant rouge et bleu.

Plus, un pavillon à queue, d'une bonne serge d'Aumale rose-sèche, avec le mollet et les franges de soie.

CLÉANTE

Que veut-il que je fasse de cela ?

LA FLÈCHE

Attendez.

Plus, une tenture de tapisserie des amours de Gombaut et de Macée.

Plus, une grande table de bois de noyer, à douze colonnes ou piliers tournés, qui se tire par les deux bouts, et garnie par le dessous de ses six escabelles.

CLÉANTE

Qu'ai-je affaire, morbleu... ?

LA FLÈCHE

Donnez-vous patience.

Plus, trois gros mousquets tout garnis de nacre de perles, avec les trois fourchettes assortissantes.

Plus, un fourneau de briques, avec deux cornues, et trois récipients, fort utiles à ceux qui sont curieux de distiller.

CLÉANTE

J'enrage.

LA FLÈCHE

Doucement.

Plus, un luth de Bologne, garni de toutes ses cordes, ou peu s'en faut.

Plus, un trou-madame, et un damier, avec un jeu de l'oie

*renouvelé des Grecs, fort propres à passer le temps lorsque l'on
n'a que faire.*

*Plus, une peau de lézard, de trois pieds et demi, remplie de foin,
curiosité agréable pour pendre au plancher d'une chambre.*

*Le tout, ci-dessus mentionné, valant loyalement plus de quatre
mille cinq cents livres, et rabaissé à la valeur de mille écus, par
la discrétion du prêteur.*

Cléante

Que la peste l'étouffe avec sa discrétion, le traître, le bourreau qu'il est! A-t-on jamais parlé d'une usure semblable?
Et n'est-il pas content du furieux intérêt qu'il exige, sans
vouloir encore m'obliger à prendre, pour trois mille livres,
les vieux rogatons qu'il ramasse? Je n'aurai pas deux cents
écus de tout cela; et cependant il faut bien me résoudre à
consentir à ce qu'il veut, car il est en état de me faire tout
accepter, et il me tient, le scélérat, le poignard sur la
gorge.

La Flèche

Je vous vois, Monsieur, ne vous en déplaise, dans le grand
chemin justement que tenait Panurge pour se ruiner, pre-
nant argent d'avance, achetant cher, vendant à bon mar-
ché, et mangeant son blé en herbe.

Cléante

Que veux-tu que j'y fasse? Voilà où les jeunes gens sont
réduits par la maudite avarice des pères; et on s'étonne
après cela que les fils souhaitent qu'ils meurent.

La Flèche

Il faut avouer que le vôtre animerait contre sa vilanie le
plus posé homme du monde. Je n'ai pas, Dieu merci, les
inclinations fort patibulaires; et parmi mes confrères que
je vois se mêler de beaucoup de petits commerces, je sais
tirer adroitement mon épingle du jeu, et me démêler pru-
demment de toutes les galanteries qui sentent tant soit
peu l'échelle; mais, à vous dire vrai, il me donnerait, par

ses procédés, des tentations de le voler; et je croirais, en le volant, faire une action méritoire.

CLÉANTE

Donne-moi un peu ce mémoire, que je le voie encore.

SCÈNE 2

Maître Simon, Harpagon,
Cléante, La Flèche

MAÎTRE SIMON

Oui, Monsieur, c'est un jeune homme qui a besoin d'argent. Ses affaires le pressent d'en trouver, et il en passera par tout ce que vous en prescrirez.

HARPAGON

Mais croyez-vous, maître Simon, qu'il n'y ait rien à péricliter? et savez-vous le nom, les biens et la famille de celui pour qui vous parlez?

MAÎTRE SIMON

Non, je ne puis pas bien vous en instruire à fond, et ce n'est que par aventure que l'on m'a adressé à lui; mais vous serez de toutes choses éclairci par lui-même; et son homme m'a assuré que vous serez content, quand vous le connaîtrez. Tout ce que je saurais vous dire, c'est que sa famille est fort riche, qu'il n'a plus de mère déjà, et qu'il s'obligera, si vous voulez, que son père mourra avant qu'il soit huit mois.

HARPAGON

C'est quelque chose que cela. La charité, maître Simon, nous oblige à faire plaisir aux personnes, lorsque nous le pouvons.

MAÎTRE SIMON

Cela s'entend.

LA FLÈCHE

Que veut dire ceci? Notre maître Simon qui parle à votre père.

CLÉANTE

Lui aurait-on appris qui je suis? et serais-tu pour nous trahir?

MAÎTRE SIMON

Ah! ah! vous êtes bien pressés! Qui vous a dit que c'était céans? Ce n'est pas moi, Monsieur, au moins, qui leur ai découvert votre nom et votre logis; mais, à mon avis, il n'y a pas grand mal à cela. Ce sont des personnes discrètes, et vous pouvez ici vous expliquer ensemble.

HARPAGON

Comment?

MAÎTRE SIMON

Monsieur est la personne qui veut vous emprunter les quinze mille livres dont je vous ai parlé.

HARPAGON

Comment, pendard? c'est toi qui t'abandonnes à ces coupables extrémités?

CLÉANTE

Comment, mon père? c'est vous qui vous portez à ces honteuses actions?

HARPAGON

C'est toi qui te veux ruiner par des emprunts si condamnables?

CLÉANTE

C'est vous qui cherchez à vous enrichir par des usures si criminelles?

HARPAGON

Oses-tu bien, après cela, paraître devant moi!

CLÉANTE

Osez-vous bien, après cela, vous présenter aux yeux du monde?

HARPAGON

N'as-tu point honte, dis-moi, d'en venir à ces débauches-là? de te précipiter dans des dépenses effroyables? et de faire une honteuse dissipation du bien que tes parents t'ont amassé avec tant de sueurs?

CLÉANTE

Ne rougissez-vous point de déshonorer votre condition par les commerces que vous faites? de sacrifier gloire et réputation au désir insatiable d'entasser écu sur écu, et de renchérir, en fait d'intérêts, sur les plus infâmes subtilités qu'aient jamais inventées les plus célèbres usuriers?

HARPAGON

Ôte-toi de mes yeux, coquin! ôte-toi de mes yeux!

CLÉANTE

Qui est plus criminel, à votre avis, ou celui qui achète un argent dont il a besoin, ou bien celui qui vole un argent dont il n'a que faire?

HARPAGON

Retire-toi, te dis-je, et ne m'échauffe pas les oreilles. Je ne suis pas fâché de cette aventure; et ce m'est un avis de tenir l'œil, plus que jamais, sur toutes ses actions.

SCÈNE 3

Frosine, Harpagon

FROSINE

Monsieur...

HARPAGON

Attendez un moment ; je vais revenir vous parler. Il est à propos que je fasse un petit tour à mon argent.

SCÈNE 4

La Flèche, Frosine

LA FLÈCHE

L'aventure est tout à fait drôle. Il faut bien qu'il ait quelque part un ample magasin de hardes ; car nous n'avons rien reconnu au mémoire que nous avons.

FROSINE

Hé ! c'est toi, mon pauvre La Flèche ! D'où vient cette rencontre ?

LA FLÈCHE

Ah ! ah ! c'est toi, Frosine. Que viens-tu faire ici ?

FROSINE

Ce que je fais partout ailleurs : m'entremettre d'affaires, me rendre serviable aux gens, et profiter du mieux qu'il m'est possible des petits talents que je puis avoir. Tu sais que dans ce monde il faut vivre d'adresse, et qu'aux personnes comme moi le Ciel n'a donné d'autres rentes que l'intrigue et que l'industrie.

LA FLÈCHE

As-tu quelque négoce avec le patron du logis ?

FROSINE

Oui, je traite pour lui quelque petite affaire, dont j'espère une récompense.

LA FLÈCHE

De lui? Ah! ma foi, tu seras bien fine si tu en tires quelque chose; et je te donne avis que l'argent céans est fort cher.

FROSINE

Il y a de certains services qui touchent merveilleusement.

LA FLÈCHE

Je suis votre valet, et tu ne connais pas encore le seigneur Harpagon. Le seigneur Harpagon est de tous les humains l'humain le moins humain, le mortel de tous les mortels le plus dur et le plus serré. Il n'est point de service qui pousse sa reconnaissance jusqu'à lui faire ouvrir les mains. De la louange, de l'estime, de la bienveillance en paroles et de l'amitié tant qu'il vous plaira; mais de l'argent, point d'affaires. Il n'est rien de plus sec et de plus aride que ses bonnes grâces et ses caresses; et *donner* est un mot pour qui il a tant d'aversion qu'il ne dit jamais: *Je vous donne,* mais: *Je vous prête le bon jour.*

FROSINE

Mon Dieu! je sais l'art de traire les hommes, j'ai le secret de m'ouvrir leur tendresse, de chatouiller leurs cœurs, de trouver les endroits par où ils sont sensibles.

LA FLÈCHE

Bagatelles ici. Je te défie d'attendrir, du côté de l'argent, l'homme dont il est question. Il est Turc là-dessus, mais d'une turquerie à désespérer tout le monde; et l'on pourrait crever qu'il n'en branlerait pas. En un mot, il aime l'argent, plus que réputation, qu'honneur et que vertu; et la vue d'un demandeur lui donne des convulsions. C'est le frapper par son endroit mortel, c'est lui percer le cœur, c'est lui arracher les entrailles; et si... Mais il revient; je me retire.

SCÈNE 5

Harpagon, Frosine

HARPAGON

Tout va comme il faut. Hé bien! qu'est-ce, Frosine?

FROSINE

Ah! mon Dieu! que vous vous portez bien! et que vous
avez là un vrai visage de santé!

HARPAGON

Qui, moi?

FROSINE

Jamais je ne vous vis un teint si frais et si gaillard.

HARPAGON

Tout de bon?

FROSINE

Comment! vous n'avez de votre vie été si jeune que vous
êtes; et je vois des gens de vingt-cinq ans qui sont plus
vieux que vous.

HARPAGON

Cependant, Frosine, j'en ai soixante bien comptés.

FROSINE

Hé bien! qu'est-ce que cela, soixante ans? Voilà bien de
quoi! C'est la fleur de l'âge cela, et vous entrez maintenant dans la belle saison de l'homme.

HARPAGON

Il est vrai; mais vingt années de moins pourtant ne me
feraient point de mal, que je crois.

FROSINE

Vous moquez-vous? Vous n'avez pas besoin de cela, et vous êtes d'une pâte à vivre jusques à cent ans.

HARPAGON

Tu le crois!

FROSINE

Assurément. Vous en avez toutes les marques. Tenez-vous un peu. Oh! que voilà bien là, entre vos deux yeux, un signe de longue vie!

HARPAGON

Tu te connais à cela?

FROSINE

Sans doute. Montrez-moi votre main. Ah! mon Dieu! quelle ligne de vie!

HARPAGON

Comment?

FROSINE

Ne voyez-vous pas jusqu'où va cette ligne-là?

HARPAGON

Hé bien! qu'est-ce que cela veut dire?

FROSINE

Par ma foi! je disais cent ans; mais vous passerez les six-vingts.

HARPAGON

Est-il possible?

FROSINE

Il faudra vous assommer, vous dis-je; et vous mettrez en terre et vos enfants, et les enfants de vos enfants.

HARPAGON

Tant mieux. Comment va notre affaire?

FROSINE

Faut-il le demander? et me voit-on mêler de rien dont je ne vienne à bout? J'ai surtout pour les mariages un talent merveilleux; il n'est point de partis au monde que je ne trouve en peu de temps le moyen d'accoupler; et je crois, si je me l'étais mis en tête, que je marierais le Grand Turc avec la République de Venise. Il n'y avait pas sans doute de si grandes difficultés à cette affaire-ci. Comme j'ai commerce chez elles, je les ai à fond l'une et l'autre entretenues de vous, et j'ai dit à la mère le dessein que vous aviez conçu pour Mariane, à la voir passer dans la rue, et prendre l'air à sa fenêtre.

HARPAGON

Qui a fait réponse...

FROSINE

Elle a reçu la proposition avec joie; et quand je lui ai témoigné que vous souhaitiez fort que sa fille assistât ce soir au contrat de mariage qui se doit faire de la vôtre, elle y a consenti sans peine, et me l'a confiée pour cela.

HARPAGON

C'est que je suis obligé, Frosine, de donner à souper au seigneur Anselme; et je serais bien aise qu'elle soit du régal.

FROSINE

Vous avez raison. Elle doit après dîner rendre visite à votre fille, d'où elle fait son compte d'aller faire un tour à la foire, pour venir ensuite au souper.

HARPAGON

Hé bien! elles iront ensemble dans mon carrosse, que je leur prêterai.

FROSINE

Voilà justement son affaire.

HARPAGON

Mais, Frosine, as-tu entretenu la mère touchant le bien qu'elle peut donner à sa fille? Lui as-tu dit qu'il fallait qu'elle s'aidât un peu, qu'elle fît quelque effort, qu'elle se saignât pour une occasion comme celle-ci? Car encore n'épouse-t-on point une fille, sans qu'elle apporte quelque chose.

FROSINE

Comment? c'est une fille qui vous apportera douze mille livres de rente.

HARPAGON

Douze mille livres de rente!

FROSINE

Oui. Premièrement, elle est nourrie et élevée dans une grande épargne de bouche; c'est une fille accoutumée à vivre de salade, de lait, de fromage et de pommes, et à laquelle par conséquent il ne faudra ni table bien servie, ni consommés exquis, ni orges mondés perpétuels, ni les autres délicatesses qu'il faudrait pour une autre femme; et cela ne va pas à si peu de chose qu'il ne monte bien, tous les ans, à trois mille francs pour le moins. Outre cela, elle n'est curieuse que d'une propreté fort simple, et n'aime point les superbes habits, ni les riches bijoux, ni les meubles somptueux, où donnent ses pareilles avec tant de chaleur; et cet article-là vaut plus de quatre mille livres par an. De plus, elle a une aversion horrible pour le jeu, ce qui n'est pas commun aux femmes d'aujourd'hui; et j'en sais une de nos quartiers qui a perdu, à trente-et-quarante, vingt mille francs cette année. Mais n'en prenons rien que le quart. Cinq mille francs au jeu par an, et quatre mille francs en habits et bijoux, cela fait neuf mille livres; et mille écus que nous mettons pour la nourriture, ne voilà-t-il pas par année vos douze mille francs bien comptés?

HARPAGON

Oui, cela n'est pas mal; mais ce compte-là n'est rien de réel.

FROSINE

Pardonnez-moi. N'est-ce pas quelque chose de réel, que de vous apporter en mariage une grande sobriété, l'héritage d'un grand amour de simplicité de parure, et l'acquisition d'un grand fonds de haine pour le jeu?

HARPAGON

C'est une raillerie, que de vouloir me constituer son dot de toutes les dépenses qu'elle ne fera point. Je n'irai pas donner quittance de ce que je ne reçois pas; et il faut bien que je touche quelque chose.

FROSINE

Mon Dieu! vous toucherez assez; et elles m'ont parlé d'un certain pays où elles ont du bien dont vous serez le maître.

HARPAGON

Il faudra voir cela. Mais, Frosine, il y a encore une chose qui m'inquiète. La fille est jeune, comme tu vois; et les jeunes gens d'ordinaire n'aiment que leurs semblables, ne cherchent que leur compagnie. J'ai peur qu'un homme de mon âge ne soit pas de son goût; et que cela ne vienne à produire chez moi certains petits désordres qui ne m'accommoderaient pas.

FROSINE

Ah! que vous la connaissez mal! C'est encore une particularité que j'avais à vous dire. Elle a une aversion épouvantable pour tous les jeunes gens, et n'a de l'amour que pour les vieillards.

Elle?

FROSINE

Oui, elle. Je voudrais que vous l'eussiez entendue parler
là-dessus. Elle ne peut souffrir du tout la vue d'un jeune
homme; mais elle n'est point plus ravie, dit-elle, que
lorsqu'elle peut voir un beau vieillard avec une barbe
majestueuse. Les plus vieux sont pour elle les plus char-
mants, et je vous avertis de n'aller pas vous faire plus
jeune que vous êtes. Elle veut tout au moins qu'on soit
sexagénaire; et il n'y a pas quatre mois encore qu'étant
prête d'être mariée, elle rompit tout net le mariage, sur ce
que son amant fit voir qu'il n'avait que cinquante-six ans,
et qu'il ne prit point de lunettes pour signer le contrat.

HARPAGON

Sur cela seulement?

FROSINE

Oui. Elle dit que ce n'est pas contentement pour elle que
cinquante-six ans; et surtout, elle est pour les nez qui
portent des lunettes.

HARPAGON

Certes, tu me dis là une chose toute nouvelle.

FROSINE

Cela va plus loin qu'on ne vous peut dire. On lui voit dans
sa chambre quelques tableaux et quelques estampes; mais
que pensez-vous que ce soit? Des Adonis? des Céphales?
des Pâris? et des Apollons? Non : de beaux portraits de
Saturne, du roi Priam, du vieux Nestor, et du bon père
Anchise sur les épaules de son fils.

HARPAGON

Cela est admirable! Voilà ce que je n'aurais jamais pensé; et je suis bien aise d'apprendre qu'elle est de cette humeur. En effet, si j'avais été femme, je n'aurais point aimé les jeunes hommes.

FROSINE

Je le crois bien. Voilà de belles drogues que des jeunes gens, pour les aimer! Ce sont de beaux morveux, de beaux godelureaux, pour donner envie de leur peau; et je voudrais bien savoir quel ragoût il y a à eux.

HARPAGON

Pour moi, je n'y en comprends point; et je ne sais pas comment il y a des femmes qui les aiment tant.

FROSINE

Il faut être folle fieffée. Trouver la jeunesse aimable! est-ce avoir le sens commun? Sont-ce des hommes que de jeunes blondins? et peut-on s'attacher à ces animaux-là?

HARPAGON

C'est ce que je dis tous les jours : avec leur ton de poule laitée, et leurs trois petits brins de barbe relevés en barbe de chat, leurs perruques d'étoupe, leurs hauts-de-chausses tout tombants, et leurs estomacs débraillés.

FROSINE

Eh! cela est bien bâti, auprès d'une personne comme vous. Voilà un homme cela. Il y a là de quoi satisfaire à la vue; et c'est ainsi qu'il faut être fait, et vêtu, pour donner de l'amour.

HARPAGON

Tu me trouves bien?

FROSINE

Comment? vous êtes à ravir, et votre figure est à peindre.
Tournez-vous un peu, s'il vous plaît. Il ne se peut pas
mieux. Que je vous voie marcher. Voilà un corps taillé,
libre, et dégagé comme il faut, et qui ne marque aucune
incommodité.

HARPAGON

Je n'en ai pas de grandes, Dieu merci. Il n'y a que ma
fluxion, qui me prend de temps en temps.

FROSINE

Cela n'est rien. Votre fluxion ne vous sied point mal, et
vous avez grâce à tousser.

HARPAGON

Dis-moi un peu : Mariane ne m'a-t-elle point encore vu?
N'a-t-elle point pris garde à moi en passant?

FROSINE

Non; mais nous nous sommes fort entretenues de vous. Je
lui ai fait un portrait de votre personne; et je n'ai pas man-
qué de lui vanter votre mérite, et l'avantage que ce lui
serait d'avoir un mari comme vous.

HARPAGON

Tu as bien fait, et je t'en remercie.

FROSINE

J'aurais, Monsieur, une petite prière à vous faire. *(Il prend
un air sévère.)* J'ai un procès que je suis sur le point de
perdre, faute d'un peu d'argent; et vous pourriez facile-
ment me procurer le gain de ce procès, si vous aviez
quelque bonté pour moi. *(Il reprend un air gai.)* Vous ne
sauriez croire le plaisir qu'elle aura de vous voir. Ah! que
vous lui plairez! et que votre fraise à l'antique fera sur son
esprit un effet admirable! Mais surtout elle sera charmée
de votre haut-de-chausses, attaché au pourpoint avec des

aiguillettes; c'est pour la rendre folle de vous; et un amant aiguilletté sera pour elle un ragoût merveilleux.

HARPAGON

Certes, tu me ravis de me dire cela.

FROSINE

(Il reprend son visage sévère.) En vérité, Monsieur, ce procès m'est d'une conséquence tout à fait grande. Je suis ruinée, si je le perds; et quelque petite assistance me rétablirait mes affaires. *(Il reprend un air gai.)* Je voudrais que vous eussiez vu le ravissement où elle était à m'entendre parler de vous. La joie éclatait dans ses yeux, au récit de vos qualités; et je l'ai mise enfin dans une impatience extrême de voir ce mariage entièrement conclu.

HARPAGON

Tu m'as fait un grand plaisir, Frosine; et je t'en ai, je te l'avoue, toutes les obligations du monde.

FROSINE

(Il reprend son air sérieux.) Je vous prie, Monsieur, de me donner le petit secours que je vous demande. Cela me remettra sur pied, et je vous en serai éternellement obligée.

HARPAGON

Adieu. Je vais achever mes dépêches.

FROSINE

Je vous assure, Monsieur, que vous ne sauriez jamais me soulager dans un plus grand besoin.

HARPAGON

Je mettrai ordre que mon carrosse soit tout prêt pour vous mener à la foire.

FROSINE

Je ne vous importunerais pas, si je ne m'y voyais forcée par la nécessité.

HARPAGON

Et j'aurai soin qu'on soupe de bonne heure, pour ne vous point faire malades.

FROSINE

Ne me refusez pas la grâce dont je vous sollicite. Vous ne sauriez croire, Monsieur, le plaisir que...

HARPAGON

Je m'en vais. Voilà qu'on m'appelle. Jusqu'à tantôt.

FROSINE

Que la fièvre te serre, chien de vilain à tous les diables! Le ladre a été ferme à toutes mes attaques; mais il ne me faut pas pourtant quitter la négociation; et j'ai l'autre côté, en tout cas, d'où je suis assurée de tirer bonne récompense.

ACTE III

SCÈNE 1

Harpagon, Cléante, Élise,
Valère, Dame Claude,
Maître Jacques, Brindavoine,
La Merluche

Harpagon

Allons, venez çà tous, que je vous distribue mes ordres
pour tantôt et règle à chacun son emploi. Approchez,
dame Claude. Commençons par vous. *(Elle tient un balai.)*
Bon, vous voilà les armes à la main. Je vous commets au
soin de nettoyer partout; et surtout prenez garde de ne
point frotter les meubles trop fort, de peur de les user.
Outre cela, je vous constitue, pendant le souper, au gou-
vernement des bouteilles; et s'il s'en écarte quelqu'une et
qu'il se casse quelque chose, je m'en prendrai à vous, et le
rabattrai sur vos gages.

Maître Jacques

Châtiment politique.

Harpagon

Allez. Vous, Brindavoine, et vous, la Merluche, je vous
établis dans la charge de rincer les verres, et de donner à
boire, mais seulement lorsque l'on aura soif, et non pas
selon la coutume de certains impertinents de laquais, qui
viennent provoquer les gens, et les faire aviser de boire
lorsqu'on n'y songe pas. Attendez qu'on vous en demande
plus d'une fois, et vous ressouvenez de porter toujours
beaucoup d'eau.

Maître Jacques
Oui : le vin pur monte à la tête.

La Merluche
Quitterons-nous nos siquenilles, Monsieur?

Harpagon
Oui, quand vous verrez venir les personnes; et gardez bien de gâter vos habits.

Brindavoine
Vous savez bien, Monsieur, qu'un des devants de mon pourpoint est couvert d'une grande tache de l'huile de la lampe.

La Merluche
Et moi, Monsieur, que j'ai mon haut-de-chausses tout troué par derrière, et qu'on me voit, révérence parler...

Harpagon
Paix. Rangez cela adroitement du côté de la muraille, et présentez toujours le devant au monde. *(Harpagon met son chapeau au-devant de son pourpoint, pour montrer à Brindavoine comment il doit faire pour cacher la tache d'huile.)* Et vous, tenez toujours votre chapeau ainsi, lorsque vous servirez. Pour vous, ma fille, vous aurez l'œil sur ce que l'on desservira, et prendrez garde qu'il ne s'en fasse aucun dégât. Cela sied bien aux filles. Mais cependant préparez-vous à bien recevoir ma maîtresse, qui vous doit venir visiter et vous mener avec elle à la foire. Entendez-vous ce que je vous dis?

Élise
Oui, mon père.

Harpagon
Et vous, mon fils le damoiseau, à qui j'ai la bonté de pardonner l'histoire de tantôt, ne vous allez pas aviser non plus de lui faire mauvais visage.

CLÉANTE

Moi, mon père, mauvais visage ? Et par quelle raison ?

HARPAGON

Mon Dieu ! nous savons le train des enfants dont les pères se remarient, et de quel œil ils ont coutume de regarder ce qu'on appelle belle-mère. Mais si vous souhaitez que je perde le souvenir de votre dernière fredaine, je vous recommande surtout de régaler d'un bon visage cette personne-là, et de lui faire enfin tout le meilleur accueil qu'il vous sera possible.

CLÉANTE

À vous dire le vrai, mon père, je ne puis pas vous promettre d'être bien aise qu'elle devienne ma belle-mère : je mentirais, si je vous le disais ; mais pour ce qui est de la bien recevoir, et de lui faire bon visage, je vous promets de vous obéir ponctuellement sur ce chapitre.

HARPAGON

Prenez-y garde au moins.

CLÉANTE

Vous verrez que vous n'aurez pas sujet de vous en plaindre.

HARPAGON

Vous ferez sagement. Valère, aide-moi à ceci. Ho çà, maître Jacques, approchez-vous, je vous ai gardé pour le dernier.

MAÎTRE JACQUES

Est-ce à votre cocher, Monsieur, ou bien à votre cuisinier, que vous voulez parler ? car je suis l'un et l'autre.

HARPAGON

C'est à tous les deux.

MAÎTRE JACQUES
Mais à qui des deux le premier?

HARPAGON
Au cuisinier.

MAÎTRE JACQUES
Attendez donc, s'il vous plaît.

Il ôte sa casaque de cocher, et paraît vêtu en cuisinier.

HARPAGON
Quelle diantre de cérémonie est-ce là?

MAÎTRE JACQUES
Vous n'avez qu'à parler.

HARPAGON
Je me suis engagé, maître Jacques, à donner ce soir à souper.

MAÎTRE JACQUES
Grande merveille!

HARPAGON
Dis-moi un peu, nous feras-tu bonne chère?

MAÎTRE JACQUES
Oui, si vous me donnez bien de l'argent.

HARPAGON
Que diable, toujours de l'argent! Il semble qu'ils n'aient autre chose à dire : « De l'argent, de l'argent, de l'argent. » Ah! ils n'ont que ce mot à la bouche : « De l'argent. » Toujours parler d'argent. Voilà leur épée de chevet, de l'argent.

Je n'ai jamais vu de réponse plus impertinente que celle-là. Voilà une belle merveille que de faire bonne chère avec bien de l'argent : c'est une chose la plus aisée au monde, et il n'y a si pauvre esprit qui n'en fît bien autant ; mais pour agir en habile homme, il faut parler de faire bonne chère avec peu d'argent.

MAÎTRE JACQUES

Bonne chère avec peu d'argent !

VALÈRE

Oui.

MAÎTRE JACQUES

Par ma foi, Monsieur l'intendant, vous nous obligerez de nous faire voir ce secret, et de prendre mon office de cuisinier : aussi bien vous mêlez-vous céans d'être le factoton.

HARPAGON

Taisez-vous. Qu'est-ce qu'il nous faudra ?

MAÎTRE JACQUES

Voilà Monsieur votre intendant, qui vous fera bonne chère pour peu d'argent.

HARPAGON

Haye ! je veux que tu me répondes.

MAÎTRE JACQUES

Combien serez-vous de gens à table ?

HARPAGON

Nous serons huit ou dix ; mais il ne faut prendre que pour huit ; quand il y a à manger pour huit, il y en a bien pour dix.

VALÈRE

Cela s'entend.

Maître Jacques

Hé bien! il faudra quatre grands potages, et cinq assiettes. Potages... Entrées...

Harpagon

Que diable! voilà pour traiter toute une ville entière.

Maître Jacques

Rôt...

Harpagon, *en lui mettant la main sur la bouche*

Ah! traître, tu manges tout mon bien.

Maître Jacques

Entremets...

Harpagon

Encore?

Valère

Est-ce que vous avez envie de faire crever tout le monde? et Monsieur a-t-il invité des gens pour les assassiner à force de mangeaille? Allez-vous-en lire un peu les préceptes de la santé, et demander aux médecins s'il y a rien de plus préjudiciable à l'homme que de manger avec excès.

Harpagon

Il a raison.

Valère

Apprenez, maître Jacques, vous et vos pareils, que c'est un coupe-gorge qu'une table remplie de trop de viandes; que pour se bien montrer ami de ceux que l'on invite, il faut que la frugalité règne dans les repas qu'on donne; et que, suivant le dire d'un ancien, *il faut manger pour vivre, et non pas vivre pour manger.*

HARPAGON

Ah! que cela est bien dit! Approche, que je t'embrasse pour ce mot. Voilà la plus belle sentence que j'aie entendue de ma vie. *Il faut vivre pour manger, et non pas manger pour vi...* Non, ce n'est pas cela. Comment est-ce que tu dis?

VALÈRE

Qu'*il faut manger pour vivre, et non pas vivre pour manger.*

HARPAGON

Oui. Entends-tu? Qui est le grand homme qui a dit cela?

VALÈRE

Je ne me souviens pas maintenant de son nom.

HARPAGON

Souviens-toi de m'écrire ces mots : je les veux faire graver en lettres d'or sur la cheminée de ma salle.

VALÈRE

Je n'y manquerai pas. Et pour votre souper, vous n'avez qu'à me laisser faire : je réglerai tout cela comme il faut.

HARPAGON

Fais donc.

MAÎTRE JACQUES

Tant mieux : j'en aurai moins de peine.

HARPAGON

Il faudra de ces choses dont on ne mange guère, et qui rassasient d'abord : quelque bon haricot bien gras, avec quelque pâté en pot bien garni de marrons.

VALÈRE

Reposez-vous sur moi.

HARPAGON

Maintenant, maître Jacques, il faut nettoyer mon carrosse.

MAÎTRE JACQUES

Attendez. Ceci s'adresse au cocher. *(Il remet sa casaque.)* Vous dites...

HARPAGON

Qu'il faut nettoyer mon carrosse, et tenir mes chevaux tout prêts pour conduire à la foire...

MAÎTRE JACQUES

Vos chevaux, Monsieur? Ma foi, ils ne sont point du tout en état de marcher. Je ne vous dirai point qu'ils sont sur la litière, les pauvres bêtes n'en ont point, et ce serait fort mal parler; mais vous leur faites observer des jeûnes si austères que ce ne sont plus rien que des idées ou des fantômes, des façons de chevaux.

HARPAGON

Les voilà bien malades : ils ne font rien.

MAÎTRE JACQUES

Et pour ne faire rien, Monsieur, est-ce qu'il ne faut rien manger? Il leur vaudrait bien mieux, les pauvres animaux, de travailler beaucoup, de manger de même. Cela me fend le cœur de les voir ainsi exténués; car enfin j'ai une tendresse pour mes chevaux, qu'il me semble que c'est moi-même quand je les vois pâtir; je m'ôte tous les jours pour eux les choses de la bouche; et c'est être, Monsieur, d'un naturel trop dur que de n'avoir nulle pitié de son prochain.

HARPAGON

Le travail ne sera pas grand d'aller jusqu'à la foire.

Maître Jacques

Non, Monsieur, je n'ai pas le courage de les mener, et je ferais conscience de leur donner des coups de fouet, en l'état où ils sont. Comment voudriez-vous qu'ils traînassent un carrosse, qu'ils ne peuvent pas se traîner eux-mêmes ?

Valère

Monsieur, j'obligerai le voisin le Picard à se charger de les conduire ; aussi bien nous fera-t-il ici besoin pour apprêter le souper.

Maître Jacques

Soit : j'aime mieux encore qu'ils meurent sous la main d'un autre que sous la mienne.

Valère

Maître Jacques fait bien le raisonnable.

Maître Jacques

Monsieur l'intendant fait bien le nécessaire.

Harpagon

Paix !

Maître Jacques

Monsieur, je ne saurais souffrir les flatteurs ; et je vois que ce qu'il en fait, que ses contrôles perpétuels sur le pain et le vin, le bois, le sel, et la chandelle, ne sont rien que pour vous gratter et vous faire sa cour. J'enrage de cela, et je suis fâché tous les jours d'entendre ce qu'on dit de vous ; car enfin je me sens pour vous de la tendresse, en dépit que j'en aie ; et après mes chevaux, vous êtes la personne que j'aime le plus.

Harpagon

Pourrais-je savoir de vous, maître Jacques, ce que l'on dit de moi ?

Maître Jacques

Oui, Monsieur, si j'étais assuré que cela ne vous fâchât point.

Harpagon

Non, en aucune façon.

Maître Jacques

Pardonnez-moi : je sais fort bien que je vous mettrais en colère.

Harpagon

Point du tout : au contraire, c'est me faire plaisir, et je suis bien aise d'apprendre comme on parle de moi.

Maître Jacques

Monsieur, puisque vous le voulez, je vous dirai franchement qu'on se moque partout de vous ; qu'on nous jette de tous côtés cent brocards à votre sujet ; et que l'on n'est point plus ravi que de vous tenir au cul et aux chausses, et de faire sans cesse des contes de votre lésine. L'un dit que vous faites imprimer des almanachs particuliers, où vous faites doubler les quatre-temps et les vigiles, afin de profiter des jeûnes où vous obligez votre monde. L'autre, que vous avez toujours une querelle toute prête à faire à vos valets dans le temps des étrennes, ou de leur sortie d'avec vous, pour vous trouver une raison de ne leur donner rien. Celui-là conte qu'une fois vous fîtes assigner le chat d'un de vos voisins, pour vous avoir mangé un reste d'un gigot de mouton. Celui-ci, que l'on vous surprit une nuit, en venant dérober vous-même l'avoine de vos chevaux ; et que votre cocher qui était celui d'avant moi, vous donna dans l'obscurité je ne sais combien de coups de bâton, dont vous ne voulûtes rien dire. Enfin voulez-vous que je vous dise ? On ne saurait aller nulle part où l'on ne vous entende accommoder de toutes pièces ; vous êtes la fable et la risée de tout le monde ; et jamais on ne parle de vous que sous les noms d'avare, de ladre, de vilain et de fesse-mathieu.

HARPAGON, *en le battant*

Vous êtes un sot, un maraud, un coquin, et un impudent.

MAÎTRE JACQUES

Hé bien! ne l'avais-je pas deviné? Vous ne m'avez pas voulu croire : je vous l'avais bien dit que je vous fâcherais de vous dire la vérité.

HARPAGON

Apprenez à parler.

SCÈNE 2

Maître Jacques, Valère

VALÈRE

À ce que je puis voir, maître Jacques, on paye mal votre franchise.

MAÎTRE JACQUES

Morbleu! Monsieur le nouveau venu, qui faites l'homme d'importance, ce n'est pas votre affaire. Riez de vos coups de bâton quand on vous en donnera, et ne venez point rire des miens.

VALÈRE

Ah! Monsieur maître Jacques, ne vous fâchez pas, je vous prie.

MAÎTRE JACQUES

Il file doux. Je veux faire le brave et s'il est assez sot pour me craindre, le frotter quelque peu. Savez-vous bien, Monsieur le rieur, que je ne ris pas, moi? et que si vous m'échauffez la tête, je vous ferai rire d'une autre sorte?

Maître Jacques pousse Valère jusques au bout du théâtre, en le menaçant.

VALÈRE

Eh! doucement.

MAÎTRE JACQUES

Comment, doucement? Il ne me plaît pas, moi.

VALÈRE

De grâce.

MAÎTRE JACQUES

Vous êtes un impertinent.

VALÈRE

Monsieur maître Jacques...

MAÎTRE JACQUES

Il n'y a point de Monsieur maître Jacques pour un double. Si je prends un bâton, je vous rosserai d'importance.

VALÈRE

Comment, un bâton?

Valère le fait reculer autant qu'il l'a fait.

MAÎTRE JACQUES

Eh! je ne parle pas de cela.

VALÈRE

Savez-vous bien, Monsieur le fat, que je suis homme à vous rosser vous-même?

MAÎTRE JACQUES

Je n'en doute pas.

VALÈRE

Que vous n'êtes, pour tout potage, qu'un faquin de cuisinier?

MAÎTRE JACQUES

Je le sais bien.

VALÈRE

Et que vous ne me connaissez pas encore.

MAÎTRE JACQUES

Pardonnez-moi.

VALÈRE

Vous me rosserez, dites-vous?

MAÎTRE JACQUES

Je le disais en raillant.

VALÈRE

Et moi, je ne prends point de goût à votre raillerie. *(Il lui donne des coups de bâton.)* Apprenez que vous êtes un mauvais railleur.

MAÎTRE JACQUES

Peste soit la sincérité! c'est un mauvais métier. Désormais j'y renonce, et je ne veux plus dire vrai. Passe encore pour mon maître; il a quelque droit de me battre; mais pour ce Monsieur l'intendant, je m'en vengerai si je puis.

SCÈNE 3

Frosine, Mariane, Maître Jacques

FROSINE

Savez-vous, maître Jacques, si votre maître est au logis?

MAÎTRE JACQUES

Oui vraiment il y est, je ne le sais que trop.

FROSINE

Dites-lui, je vous prie, que nous sommes ici.

SCÈNE 4

Mariane, Frosine

MARIANE

Ah! que je suis, Frosine, dans un étrange état! et s'il faut dire ce que je sens, que j'appréhende cette vue!

FROSINE

Mais pourquoi, et quelle est votre inquiétude?

MARIANE

Hélas! me le demandez-vous? et ne vous figurez-vous point les alarmes d'une personne toute prête à voir le supplice où l'on veut l'attacher?

FROSINE

Je vois bien que, pour mourir agréablement, Harpagon n'est pas le supplice que vous voudriez embrasser; et je connais à votre mine que le jeune blondin dont vous m'avez parlé vous revient un peu dans l'esprit.

MARIANE

Oui, c'est une chose, Frosine, dont je ne veux pas me défendre; et les visites respectueuses qu'il a rendues chez nous ont fait, je vous l'avoue, quelque effet dans mon âme.

FROSINE

Mais avez-vous su quel il est?

MARIANE

Non, je ne sais point quel il est; mais je sais qu'il est fait d'un air à se faire aimer; que si l'on pouvait mettre les choses à mon choix, je le prendrais plutôt qu'un autre; et qu'il ne contribue pas peu à me faire trouver un tourment effroyable dans l'époux qu'on veut me donner.

FROSINE

Mon Dieu! tous ces blondins sont agréables, et débitent fort bien leur fait; mais la plupart sont gueux comme des rats; et il vaut mieux pour vous de prendre un vieux mari qui vous donne beaucoup de bien. Je vous avoue que les sens ne trouvent pas si bien leur compte du côté que je dis, et qu'il y a quelques petits dégoûts à essuyer avec un tel époux; mais cela n'est pas pour durer, et sa mort, croyez-moi, vous mettra bientôt en état d'en prendre un plus aimable, qui réparera toutes choses.

MARIANE

Mon Dieu! Frosine, c'est une étrange affaire, lorsque, pour être heureuse, il faut souhaiter ou attendre le trépas de quelqu'un, et la mort ne suit pas tous les projets que nous faisons.

FROSINE

Vous moquez-vous? Vous ne l'épousez qu'aux conditions de vous laisser veuve bientôt; et ce doit être là un des articles du contrat. Il serait bien impertinent de ne pas mourir dans trois mois. Le voici en propre personne.

MARIANE

Ah! Frosine, quelle figure!

SCÈNE 5

Harpagon, Frosine, Mariane

HARPAGON

Ne vous offensez pas, ma belle, si je viens à vous avec des lunettes. Je sais que vos appas frappent assez les yeux, sont assez visibles d'eux-mêmes, et qu'il n'est pas besoin de lunettes pour les apercevoir; mais enfin c'est avec des lunettes qu'on observe les astres; et je maintiens et je garantis que vous êtes un astre, mais un astre le plus bel

71

astre qui soit dans le pays des astres ; Frosine, elle ne répond mot, et ne témoigne, ce me semble, aucune joie de me voir.

FROSINE

C'est qu'elle est encore toute surprise ; et puis les filles ont toujours honte à témoigner d'abord ce qu'elles ont dans l'âme.

HARPAGON

Tu as raison. Voilà, belle mignonne, ma fille qui vient vous saluer.

SCÈNE 6

Élise, Harpagon, Mariane, Frosine

MARIANE

Je m'acquitte bien tard, Madame, d'une telle visite.

ÉLISE

Vous avez fait, Madame, ce que je devais faire, et c'était à moi de vous prévenir.

HARPAGON

Vous voyez qu'elle est grande ; mais mauvaise herbe croît toujours.

MARIANE, *bas à Frosine*

Oh ! l'homme déplaisant !

HARPAGON

Que dit la belle ?

FROSINE

Qu'elle vous trouve admirable.

72

HARPAGON

C'est trop d'honneur que vous me faites, adorable mignonne.

MARIANE, *à part*

Quel animal !

HARPAGON

Je vous suis trop obligé de ces sentiments.

MARIANE, *à part*

Je n'y puis plus tenir.

HARPAGON

Voici mon fils aussi qui vient vous faire la révérence.

MARIANE, *à part, à Frosine*

Ah ! Frosine, quelle rencontre ! C'est justement celui dont je t'ai parlé.

FROSINE, *à Mariane*

L'aventure est merveilleuse.

HARPAGON

Je vois que vous vous étonnez de me voir de si grands enfants, mais je serai bientôt défait et de l'un et de l'autre.

SCÈNE 7

Cléante, Harpagon, Élise,
Mariane, Frosine

CLÉANTE

Madame, à vous dire le vrai, c'est ici une aventure où sans doute je ne m'attendais pas; et mon père ne m'a pas peu surpris lorsqu'il m'a dit tantôt le dessein qu'il avait formé.

MARIANE

Je puis dire la même chose. C'est une rencontre imprévue qui m'a surprise autant que vous ; et je n'étais point préparée à une pareille aventure.

CLÉANTE

Il est vrai que mon père, Madame, ne peut pas faire un plus beau choix, et que ce m'est une sensible joie que l'honneur de vous voir ; mais avec tout cela, je ne vous assurerai point que je me réjouis du dessein où vous pourriez être de devenir ma belle-mère. Le compliment, je vous l'avoue, est trop difficile pour moi ; et c'est un titre, s'il vous plaît, que je ne vous souhaite point. Ce discours paraîtra brutal aux yeux de quelques-uns ; mais je suis assuré que vous serez personne à le prendre comme il faudra ; que c'est un mariage, Madame, où vous vous imaginez bien que je dois avoir de la répugnance ; que vous n'ignorez pas, sachant ce que je suis, comme il choque mes intérêts ; et que vous voulez bien enfin que je vous dise, avec la permission de mon père, que si les choses dépendaient de moi, cet hymen ne se ferait point.

HARPAGON

Voilà un compliment bien impertinent : quelle belle confession à lui faire !

MARIANE

Et moi, pour vous répondre, j'ai à vous dire que les choses sont fort égales ; et que si vous auriez de la répugnance à me voir votre belle-mère, je n'en aurais pas moins sans doute à vous voir mon beau-fils. Ne croyez pas, je vous prie, que ce soit moi qui cherche à vous donner cette inquiétude. Je serais fort fâchée de vous causer du déplaisir ; et si je ne m'y vois forcée par une puissance absolue, je vous donne ma parole que je ne consentirai point au mariage qui vous chagrine.

HARPAGON

Elle a raison; à sot compliment il faut une réponse de même. Je vous demande pardon, ma belle, de l'impertinence de mon fils. C'est un jeune sot, qui ne sait pas encore la conséquence des paroles qu'il dit.

MARIANE

Je vous promets que ce qu'il m'a dit ne m'a point du tout offensée; au contraire, il m'a fait plaisir de m'expliquer ainsi ses véritables sentiments. J'aime de lui un aveu de la sorte; et, s'il avait parlé d'autre façon, je l'en estimerais bien moins.

HARPAGON

C'est beaucoup de bonté à vous de vouloir ainsi excuser ses fautes. Le temps le rendra plus sage, et vous verrez qu'il changera de sentiments.

CLÉANTE

Non, mon père, je ne suis point capable d'en changer, et je prie instamment Madame de le croire.

HARPAGON

Mais voyez quelle extravagance! il continue encore plus fort.

CLÉANTE

Voulez-vous que je trahisse mon cœur?

HARPAGON

Encore? Avez-vous envie de changer de discours?

CLÉANTE

Hé bien! puisque vous voulez que je parle d'autre façon, souffrez, Madame, que je me mette ici à la place de mon père, et que je vous avoue que je n'ai rien vu dans le monde de si charmant que vous; que je ne conçois rien d'égal au bonheur de vous plaire, et que le titre de votre époux est une gloire, une félicité que je préférerais aux destinées des plus grands princes de la terre. Oui, Madame, le bonheur de vous posséder est à mes regards la plus belle de toutes les fortunes; c'est où j'attache toute mon ambition; il n'y a rien que je ne sois capable de faire pour une conquête si précieuse, et les obstacles les plus puissants...

HARPAGON

Doucement, mon fils, s'il vous plaît.

CLÉANTE

C'est un compliment que je fais pour vous à Madame.

HARPAGON

Mon Dieu! j'ai une langue pour m'expliquer moi-même, et je n'ai pas besoin d'un procureur comme vous. Allons, donnez des sièges.

FROSINE

Non; il vaut mieux que de ce pas nous allions à la foire, afin d'en revenir plus tôt, et d'avoir tout le temps ensuite de vous entretenir.

HARPAGON

Qu'on mette donc les chevaux au carrosse. Je vous prie de m'excuser, ma belle, si je n'ai pas songé à vous donner un peu de collation avant que de partir.

CLÉANTE

J'y ai pourvu, mon père, et j'ai fait apporter ici quelques bassins d'oranges de la Chine, de citrons doux et de confitures, que j'ai envoyé quérir de votre part.

HARPAGON, *bas à Valère*

Valère!

VALÈRE, *à Harpagon*

Il a perdu le sens.

CLÉANTE

Est-ce que vous trouvez, mon père, que ce ne soit pas assez? Madame aura la bonté d'excuser cela, s'il vous plaît.

MARIANE

C'est une chose qui n'était pas nécessaire.

CLÉANTE

Avez-vous jamais vu, Madame, un diamant plus vif que celui que vous voyez que mon père a au doigt?

MARIANE

Il est vrai qu'il brille beaucoup.

CLÉANTE *(Il l'ôte du doigt de son père et le donne à Mariane.)*
Il faut que vous le voyiez de près.

MARIANE

Il est fort beau sans doute, et jette quantité de feux.

CLÉANTE *(Il se met au-devant de Mariane, qui le veut rendre.)*
Nenni, Madame : il est en de trop belles mains. C'est un présent que mon père vous a fait.

HARPAGON

Moi?

CLÉANTE

N'est-il pas vrai, mon père, que vous voulez que Madame le garde pour l'amour de vous?

HARPAGON, *à part, à son fils*
Comment?

CLÉANTE

Belle demande! il me fait signe de vous le faire accepter.

MARIANE

Je ne veux point...

CLÉANTE

Vous moquez-vous? Il n'a garde de le reprendre.

HARPAGON, *à part*

J'enrage!

MARIANE

Ce serait...

CLÉANTE, *en empêchant toujours Mariane
de rendre la bague*

Non, vous dis-je, c'est l'offenser.

MARIANE

De grâce...

CLÉANTE

Point du tout.

HARPAGON, *à part*

Peste soit...

CLÉANTE

Le voilà qui se scandalise de votre refus.

HARPAGON, *bas, à son fils*

Ah! traître!

CLÉANTE

Vous voyez qu'il se désespère.

HARPAGON, *bas, à son fils, en le menaçant*

Bourreau que tu es!

CLÉANTE

Mon père, ce n'est pas ma faute. Je fais ce que je puis pour l'obliger à la garder ; mais elle est obstinée.

HARPAGON, *bas, à son fils, avec emportement*

Pendard !

CLÉANTE

Vous êtes cause, Madame, que mon père me querelle.

HARPAGON, *bas, à son fils, avec les mêmes grimaces*

Le coquin !

CLÉANTE

Vous le ferez tomber malade. De grâce, Madame, ne résistez point davantage.

FROSINE

Mon Dieu ! que de façons ! Gardez la bague, puisque Monsieur le veut.

MARIANE

Pour ne vous point mettre en colère, je la garde maintenant ; et je prendrai un autre temps pour vous la rendre.

SCÈNE 8

Harpagon, Mariane, Frosine,
Cléante, Brindavoine, Élise

BRINDAVOINE

Monsieur, il y a là un homme qui veut vous parler.

HARPAGON

Dis-lui que je suis empêché, et qu'il revienne une autre fois.

Il dit qu'il vous apporte de l'argent.

HARPAGON

Je vous demande pardon. Je reviens tout à l'heure.

SCÈNE 9

Harpagon, Mariane, Cléante,
Élise, Frosine, La Merluche

LA MERLUCHE *(Il vient en courant,*
et fait tomber Harpagon.)

Monsieur...

HARPAGON

Ah! je suis mort.

CLÉANTE

Qu'est-ce, mon père? vous êtes-vous fait mal?

HARPAGON

Le traître assurément a reçu de l'argent de mes débiteurs,
pour me faire rompre le cou.

VALÈRE

Cela ne sera rien.

LA MERLUCHE

Monsieur, je vous demande pardon, je croyais bien faire
d'accourir vite.

HARPAGON

Que viens-tu faire ici, bourreau?

LA MERLUCHE

Vous dire que vos deux chevaux sont déferrés.

HARPAGON

Qu'on les mène promptement chez le maréchal.

CLÉANTE

En attendant qu'ils soient ferrés, je vais faire pour vous, mon père, les honneurs de votre logis, et conduire Madame dans le jardin, où je ferai porter la collation.

HARPAGON

Valère, aie un peu l'œil à tout cela; et prends soin, je te prie, de m'en sauver le plus que tu pourras, pour le renvoyer au marchand.

VALÈRE

C'est assez.

HARPAGON

Ô fils impertinent, as-tu envie de me ruiner?

ACTE IV

SCÈNE 1

Cléante, Mariane, Élise, Frosine

CLÉANTE

Rentrons ici, nous serons beaucoup mieux. Il n'y a plus autour de nous personne de suspect, et nous pouvons parler librement.

ÉLISE

Oui, Madame, mon frère m'a fait confidence de la passion qu'il a pour vous. Je sais les chagrins et les déplaisirs que sont capables de causer de pareilles traverses ; et c'est, je vous assure, avec une tendresse extrême que je m'intéresse à votre aventure.

MARIANE

C'est une douce consolation que de voir dans ses intérêts une personne comme vous ; et je vous conjure, Madame, de me garder toujours cette généreuse amitié, si capable de m'adoucir les cruautés de la fortune.

FROSINE

Vous êtes, par ma foi ! de malheureuses gens l'un et l'autre, de ne m'avoir point, avant tout ceci, avertie de votre affaire. Je vous aurais sans doute détourné cette inquiétude, et n'aurais point amené les choses où l'on voit qu'elles sont.

CLÉANTE

Que veux-tu ? C'est ma mauvaise destinée qui l'a voulu ainsi. Mais, belle Mariane, quelles résolutions sont les vôtres ?

MARIANE

Hélas ! suis-je en pouvoir de faire des résolutions ? Et dans la dépendance où je me vois, puis-je former que des souhaits ?

CLÉANTE

Point d'autre appui pour moi dans votre cœur que de simples souhaits ? point de pitié officieuse ? point de secourable bonté ? point d'affection agissante ?

MARIANE

Que saurais-je vous dire ? Mettez-vous en ma place, et voyez ce que je puis faire. Avisez, ordonnez vous-même : je m'en remets à vous, et je vous crois trop raisonnable pour vouloir exiger de moi que ce qui peut m'être permis par l'honneur et la bienséance.

CLÉANTE

Hélas ! où me réduisez-vous, que de me renvoyer à ce que voudront me permettre les fâcheux sentiments d'un rigoureux honneur et d'une scrupuleuse bienséance.

MARIANE

Mais que voulez-vous que je fasse ? Quand je pourrais passer sur quantité d'égards où notre sexe est obligé, j'ai de la considération pour ma mère. Elle m'a toujours élevée avec une tendresse extrême, et je ne saurais me résoudre à lui donner du déplaisir. Faites, agissez auprès d'elle, employez tous vos soins à gagner son esprit : vous pouvez faire et dire tout ce que je voudrez, je vous en donne la licence, et s'il ne tient qu'à me déclarer en votre faveur, je veux bien consentir à lui faire un aveu moi-même de tout ce que je sens pour vous.

CLÉANTE

Frosine, ma pauvre Frosine, voudrais-tu nous servir ?

FROSINE

Par ma foi ! faut-il demander ? je le voudrais de tout mon
cœur. Vous savez que de mon naturel je suis assez
humaine ; le Ciel ne m'a point fait l'âme de bronze, et je
n'ai que trop de tendresse à rendre de petits services,
quand je vois des gens qui s'entre-aiment en tout bien et
en tout honneur. Que pourrions-nous faire à ceci ?

CLÉANTE

Songe un peu, je te prie.

MARIANE

Ouvre-nous des lumières.

ÉLISE

Trouve quelque invention pour rompre ce que tu as fait.

FROSINE

Ceci est assez difficile. Pour votre mère, elle n'est pas tout
à fait déraisonnable, et peut-être pourrait-on la gagner, et
la résoudre à transporter au fils le don qu'elle veut faire au
père. Mais le mal que j'y trouve, c'est que votre père est
votre père.

CLÉANTE

Cela s'entend.

FROSINE

Je veux dire qu'il conservera du dépit, si l'on montre
qu'on le refuse ; et qu'il ne sera point d'humeur ensuite à
donner son consentement à votre mariage. Il faudrait,
pour bien faire, que le refus vînt de lui-même, et tâcher
par quelque moyen de le dégoûter de votre personne.

CLÉANTE

Tu as raison.

Oui, j'ai raison, je le sais bien. C'est là ce qu'il faudrait;
mais le diantre est d'en pouvoir trouver les moyens.
Attendez : si nous avions quelque femme un peu sur l'âge,
qui fût de mon talent, et jouât assez bien pour contrefaire
une dame de qualité, par le moyen d'un train fait à la hâte,
et d'un bizarre nom de marquise, ou de vicomtesse, que
nous supposerions de la basse Bretagne, j'aurais assez
d'adresse pour faire accroire à votre père que ce serait une
personne riche, outre ses maisons, de cent mille écus en
argent comptant; qu'elle serait éperdument amoureuse de
lui, et souhaiterait de se voir sa femme, jusqu'à lui donner
tout son bien par contrat de mariage; et je ne doute point
qu'il ne prêtât l'oreille à la proposition; car enfin il vous
aime fort, je le sais; mais il aime un peu plus l'argent; et
quand, ébloui de ce leurre, il aurait une fois consenti à ce
qui vous touche, il importerait peu ensuite qu'il se désa-
busât, en venant à vouloir voir clair aux effets de notre
marquise.

Tout cela est fort bien pensé.

Laissez-moi faire. Je viens de me ressouvenir d'une de mes
amies, qui sera notre fait.

Sois assurée, Frosine, de ma reconnaissance, si tu viens à
bout de la chose. Mais, charmante Mariane, commençons, je vous prie, par gagner votre mère; c'est toujours
beaucoup faire que de rompre ce mariage. Faites-y de
votre part, je vous en conjure, tous les efforts qu'il vous
sera possible; servez-vous de tout le pouvoir que vous
donne sur elle cette amitié qu'elle a pour vous; déployez
sans réserve les grâces éloquentes, les charmes tout-puis-
sants que le Ciel a placés dans vos yeux et dans votre
bouche; et n'oubliez rien, s'il vous plaît, de ces tendres
paroles, et de ces douces prières, et de ces caresses tou-

chantes à qui je suis persuadé qu'on ne saurait rien refuser.

MARIANE

J'y ferai tout ce que je puis, et n'oublierai aucune chose.

SCÈNE 2

Harpagon, Cléante, Mariane,
Élise, Frosine

HARPAGON

Ouais! mon fils baise la main de sa prétendue belle-mère, et sa prétendue belle-mère ne s'en défend pas fort. Y aurait-il quelque mystère là-dessous?

ÉLISE

Voilà mon père.

HARPAGON

Le carrosse est tout prêt. Vous pouvez partir quand il vous plaira.

CLÉANTE

Puisque vous n'y allez pas, mon père, je m'en vais les conduire.

HARPAGON

Non, demeurez. Elles iront bien toutes seules; et j'ai besoin de vous.

SCÈNE 3

Harpagon, Cléante

HARPAGON

Ô çà, intérêt de belle-mère à part, que te semble à toi de cette personne?

CLÉANTE

Ce qui m'en semble?

HARPAGON

Oui, de son air, de sa taille, de sa beauté, de son esprit?

CLÉANTE

La, la.

HARPAGON

Mais encore?

CLÉANTE

À vous en parler franchement, je ne l'ai pas trouvée ici ce que je l'avais crue. Son air est de franche coquette; sa taille est assez gauche, sa beauté très médiocre, et son esprit des plus communs. Ne croyez pas que ce soit, mon père, pour vous en dégoûter; car belle-mère, pour belle-mère, j'aime autant celle-là qu'une autre.

HARPAGON

Tu lui disais tantôt pourtant...

CLÉANTE

Je lui ai dit quelques douceurs en votre nom, mais c'était pour vous plaire.

HARPAGON

Si bien donc que tu n'aurais pas d'inclination pour elle?

CLÉANTE

Moi ? point du tout.

HARPAGON

J'en suis fâché ; car cela rompt une pensée qui m'était venue dans l'esprit. J'ai fait, en la voyant ici, réflexion sur mon âge ; et j'ai songé qu'on pourra trouver à redire de me voir marier à une si jeune personne. Cette considération m'en faisait quitter le dessein ; et comme je l'ai fait demander, et que je suis pour elle engagé de parole, je te l'aurais donnée, sans l'aversion que tu témoignes.

CLÉANTE

À moi ?

HARPAGON

À toi.

CLÉANTE

En mariage ?

HARPAGON

En mariage.

CLÉANTE

Écoutez : il est vrai qu'elle n'est pas fort à mon goût ; mais pour vous faire plaisir, mon père, je me résoudrai à l'épouser, si vous voulez.

HARPAGON

Moi ? Je suis plus raisonnable que tu ne penses : je ne veux point forcer ton inclination.

CLÉANTE

Pardonnez-moi, je me ferai cet effort pour l'amour de vous.

HARPAGON

Non, non ; un mariage ne saurait être heureux où l'inclination n'est pas.

CLÉANTE

C'est une chose, mon père, qui peut-être viendra ensuite ; et l'on dit que l'amour est souvent un fruit du mariage.

HARPAGON

Non : du côté de l'homme, on ne doit point risquer l'affaire, et ce sont des suites fâcheuses, où je n'ai garde de me commettre. Si tu avais senti quelque inclination pour elle, à la bonne heure : je te l'aurais fait épouser, au lieu de moi ; mais cela n'étant pas, je suivrai mon premier dessein, et je l'épouserai moi-même.

CLÉANTE

Hé bien ! mon père, puisque les choses sont ainsi, il faut vous découvrir mon cœur, il faut vous révéler notre secret. La vérité est que je l'aime, depuis un jour que je la vis dans une promenade ; que mon dessein était tantôt de vous la demander pour femme ; et que rien ne m'a retenu que la déclaration de vos sentiments, et la crainte de vous déplaire.

HARPAGON

Lui avez-vous rendu visite ?

CLÉANTE

Oui, mon père.

HARPAGON

Beaucoup de fois ?

CLÉANTE

Assez, pour le temps qu'il y a.

HARPAGON

Vous a-t-on bien reçu ?

CLÉANTE

Fort bien, mais sans savoir qui j'étais; et c'est ce qui a fait
tantôt la surprise de Mariane.

HARPAGON

Lui avez-vous déclaré votre passion, et le dessein où vous
étiez de l'épouser?

CLÉANTE

Sans doute; et même j'en avais fait à sa mère quelque peu
d'ouverture.

HARPAGON

A-t-elle écouté, pour sa fille, votre proposition?

CLÉANTE

Oui, fort civilement.

HARPAGON

Et la fille correspond-elle fort à votre amour?

CLÉANTE

Si j'en dois croire les apparences, je me persuade, mon
père, qu'elle a quelque bonté pour moi.

HARPAGON

Je suis bien aise d'avoir appris un tel secret; et voilà justement ce que je demandais. Oh sus! mon fils, savez-vous
ce qu'il y a? c'est qu'il faut songer, s'il vous plaît, à vous
défaire de votre amour; à cesser toutes vos poursuites
auprès d'une personne que je prétends pour moi; et à
vous marier dans peu avec celle qu'on vous destine.

CLÉANTE

Oui, mon père, c'est ainsi que vous me jouez! Hé bien!
puisque les choses en sont venues là, je vous déclare, moi,
que je ne quitterai point la passion que j'ai pour Mariane,
qu'il n'y a point d'extrémité où je ne m'abandonne pour
vous disputer sa conquête, et que si vous avez pour vous le

consentement d'une mère, j'aurai d'autres secours peut-être qui combattront pour moi.

HARPAGON

Comment, pendard? tu as l'audace d'aller sur mes brisées?

CLÉANTE

C'est vous qui allez sur les miennes; et je suis le premier en date.

HARPAGON

Ne suis-je pas ton père? et ne me dois-tu pas respect!

CLÉANTE

Ce ne sont point ici des choses où les enfants soient obligés de déférer aux pères; et l'amour ne connaît personne.

HARPAGON

Je te ferai bien me connaître, avec de bons coups de bâton.

CLÉANTE

Toutes vos menaces ne font rien.

HARPAGON

Tu renonceras à Mariane.

CLÉANTE

Point du tout.

HARPAGON

Donnez-moi un bâton tout à l'heure.

SCÈNE 4

Maître Jacques, Harpagon,
Cléante

MAÎTRE JACQUES

Eh! eh! eh! Messieurs, qu'est-ce ci? à quoi songez-vous?

CLÉANTE

Je me moque de cela.

MAÎTRE JACQUES

Ah! Monsieur, doucement.

HARPAGON

Me parler avec cette impudence!

MAÎTRE JACQUES

Ah! Monsieur, de grâce.

CLÉANTE

Je n'en démordrai point.

MAÎTRE JACQUES

Hé quoi? à votre père?

HARPAGON

Laisse-moi faire.

MAÎTRE JACQUES

Hé quoi? à votre fils? Encore passe pour moi.

HARPAGON

Je te veux faire toi-même, maître Jacques, juge de cette affaire, pour montrer comme j'ai raison.

MAÎTRE JACQUES

J'y consens. Éloignez-vous un peu.

HARPAGON

J'aime une fille, que je veux épouser; et le pendard a l'insolence de l'aimer avec moi, et d'y prétendre malgré mes ordres.

MAÎTRE JACQUES

Ah! il a tort.

HARPAGON

N'est-ce pas une chose épouvantable, qu'un fils qui veut entrer en concurrence avec son père? et ne doit-il pas, par respect, s'abstenir de toucher à mes inclinations?

MAÎTRE JACQUES

Vous avez raison. Laissez-moi lui parler, et demeurez là.

Il vient trouver Cléante à l'autre bout du théâtre.

CLÉANTE

Hé bien! oui, puisqu'il veut te choisir pour juge, je n'y recule point; il ne m'importe qui ce soit; et je veux bien aussi me rapporter à toi, maître Jacques, de notre différend.

MAÎTRE JACQUES

C'est beaucoup d'honneur que vous me faites.

CLÉANTE

Je suis épris d'une jeune personne qui répond à mes vœux, et reçoit tendrement les offres de ma foi; et mon père s'avise de venir troubler notre amour par la demande qu'il en fait faire.

MAÎTRE JACQUES

Il a tort assurément.

CLÉANTE

N'a-t-il point de honte, à son âge, de songer à se marier? lui sied-il bien d'être encore amoureux? et ne devrait-il pas laisser cette occupation aux jeunes gens?

MAÎTRE JACQUES

Vous avez raison, il se moque. Laissez-moi lui dire deux mots. *(Il revient à Harpagon.)* Hé bien ! votre fils n'est pas si étrange que vous le dites, et il se met à la raison. Il dit qu'il sait le respect qu'il vous doit, qu'il ne s'est emporté que dans la première chaleur, et qu'il ne fera point refus de se soumettre à ce qu'il vous plaira, pourvu que vous vouliez le traiter mieux que vous ne faites, et lui donner quelque personne en mariage dont il ait lieu d'être content.

HARPAGON

Ah ! dis-lui, maître Jacques, que moyennant cela, il pourra espérer toutes choses de moi ; et que, hors Mariane, je lui laisse la liberté de choisir celle qu'il voudra.

MAÎTRE JACQUES *(Il va au fils.)*

Laissez-moi faire. Hé bien ! votre père n'est pas si déraisonnable que vous le faites ; et il m'a témoigné que ce sont vos emportements qui l'ont mis en colère ; qu'il n'en veut seulement qu'à votre manière d'agir, et qu'il sera fort disposé à vous accorder ce que vous souhaitez, pourvu que vous vouliez vous y prendre par la douceur, et lui rendre les déférences, les respects, et les soumissions qu'un fils doit à son père.

CLÉANTE

Ah ! maître Jacques, tu peux lui assurer que, s'il m'accorde Mariane, il me verra toujours le plus soumis de tous les hommes ; et que jamais je ne ferai aucune chose que par ses volontés.

MAÎTRE JACQUES

Cela est fait. Il consent à ce que vous dites.

HARPAGON

Voilà qui va le mieux du monde.

MAÎTRE JACQUES

Tout est conclu. Il est content de vos promesses.

CLÉANTE

Le Ciel en soit loué !

MAÎTRE JACQUES

Messieurs, vous n'avez qu'à parler ensemble : vous voilà d'accord maintenant ; et vous alliez vous quereller, faute de vous entendre.

CLÉANTE

Mon pauvre maître Jacques, je te serai obligé toute ma vie.

MAÎTRE JACQUES

Il n'y a pas de quoi, Monsieur.

HARPAGON

Tu m'as fait plaisir, maître Jacques, et cela mérite une récompense. Va, je m'en souviendrai, je t'assure.

Il tire son mouchoir de sa poche, ce qui fait croire à maître Jacques qu'il va lui donner quelque chose.

MAÎTRE JACQUES

Je vous baise les mains.

SCÈNE 5

Cléante, Harpagon

CLÉANTE

Je vous demande pardon, mon père, de l'emportement que j'ai fait paraître.

HARPAGON

Cela n'est rien.

CLÉANTE

Je vous assure que j'en ai tous les regrets du monde.

HARPAGON

Et moi, j'ai toutes les joies du monde de te voir raisonnable.

CLÉANTE

Quelle bonté à vous d'oublier si vite ma faute !

HARPAGON

On oublie aisément les fautes des enfants, lorsqu'ils rentrent dans leur devoir.

CLÉANTE

Quoi ? ne garder aucun ressentiment de toutes mes extravagances ?

HARPAGON

C'est une chose où tu m'obliges par la soumission et le respect où tu te ranges.

CLÉANTE

Je vous promets, mon père, que, jusques au tombeau, je conserverai dans mon cœur le souvenir de vos bontés.

HARPAGON

Et moi, je te promets qu'il n'y aura aucune chose que de moi tu n'obtiennes.

CLÉANTE

Ah ! mon père, je ne vous demande plus rien ; et c'est m'avoir assez donné que de me donner Mariane.

HARPAGON

Comment ?

CLÉANTE

Je dis, mon père, que je suis trop content de vous, et que je trouve toutes choses dans la bonté que vous avez de m'accorder Mariane.

HARPAGON

Qui est-ce qui parle de t'accorder Mariane?

CLÉANTE

Vous, mon père.

HARPAGON

Moi!

CLÉANTE

Sans doute.

HARPAGON

Comment? C'est toi qui as promis d'y renoncer.

CLÉANTE

Moi, y renoncer?

HARPAGON

Oui.

CLÉANTE

Point du tout.

HARPAGON

Tu ne t'es pas départi d'y prétendre?

CLÉANTE

Au contraire, j'y suis porté plus que jamais.

HARPAGON

Quoi? pendard, derechef?

CLÉANTE

Rien ne me peut changer.

HARPAGON

Laisse-moi faire, traître.

CLÉANTE

Faites tout ce qu'il vous plaira.

HARPAGON

Je te défends de me jamais voir.

CLÉANTE

À la bonne heure.

HARPAGON

Je t'abandonne.

CLÉANTE

Abandonnez.

HARPAGON

Je te renonce pour mon fils.

CLÉANTE

Soit.

HARPAGON

Je te déshérite.

CLÉANTE

Tout ce que vous voudrez.

HARPAGON

Et je te donne ma malédiction.

CLÉANTE

Je n'ai que faire de vos dons.

SCÈNE 6

La Flèche, Cléante

La Flèche, *sortant du jardin, avec une cassette*
Ah! Monsieur, que je vous trouve à propos! suivez-moi
vite.

Cléante
Qu'y a-t-il?

La Flèche
Suivez-moi, vous dis-je : nous sommes bien.

Cléante
Comment?

La Flèche
Voici votre affaire.

Cléante
Quoi?

La Flèche
J'ai guigné ceci tout le jour.

Cléante
Qu'est-ce que c'est?

La Flèche
Le trésor de votre père, que j'ai attrapé.

Cléante
Comment as-tu fait?

La Flèche
Vous saurez tout. Sauvons-nous, je l'entends crier.

SCÈNE 7

Harpagon

Il crie au voleur dès le jardin, et vient sans chapeau.

Au voleur! au voleur! à l'assassin! au meurtrier! Justice, juste Ciel! je suis perdu, je suis assassiné, on m'a coupé la gorge, on m'a dérobé mon argent. Qui peut-ce être? Qu'est-il devenu? Où est-il? Où se cache-t-il? Que ferai-je pour le trouver? Où courir? Où ne pas courir? N'est-il point là? N'est-il point ici? Qui est-ce? Arrête. Rends-moi mon argent, coquin... *(Il se prend lui-même par le bras.)* Ah! c'est moi. Mon esprit est troublé, et j'ignore où je suis, qui je suis, et ce que je fais. Hélas! mon pauvre argent, mon pauvre argent, mon cher ami! on m'a privé de toi; et puisque tu m'es enlevé, j'ai perdu mon support, ma consolation, ma joie; tout est fini pour moi, et je n'ai plus que faire au monde : sans toi, il m'est impossible de vivre. C'en est fait, je n'en puis plus; je me meurs, je suis mort, je suis enterré. N'y a-t-il personne qui veuille me ressusciter, en me rendant mon cher argent, ou en m'apprenant qui l'a pris? Euh? que dites-vous? Ce n'est personne. Il faut, qui que ce soit qui ait fait le coup, qu'avec beaucoup de soin on ait épié l'heure; et l'on a choisi justement le temps que je parlais à mon traître de fils. Sortons. Je veux aller quérir la justice, et faire donner la question à toute la maison : à servantes, à valets, à fils, à fille, et à moi aussi. Que de gens assemblés! Je ne jette mes regards sur personne qui ne me donne des soupçons, et tout me semble mon voleur. Eh! de quoi est-ce qu'on parle là? De celui qui m'a dérobé? Quel bruit fait-on là-haut? Est-ce mon voleur qui y est? De grâce, si l'on sait des nouvelles de mon voleur, je supplie que l'on m'en dise. N'est-il point caché là parmi vous? Ils me regardent tous, et se mettent à rire. Vous verrez qu'ils ont part sans doute au vol que l'on m'a fait. Allons vite, des commissaires, des archers, des prévôts, des juges, des gênes, des potences et des bourreaux. Je veux faire pendre tout le monde; et si je ne retrouve mon argent, je me pendrai moi-même après.

ACTE V

SCÈNE 1

Harpagon, Le Commissaire,
Son Clerc

LE COMMISSAIRE

Laissez-moi faire : je sais mon métier, Dieu merci. Ce n'est pas d'aujourd'hui que je me mêle de découvrir des vols; et je voudrais avoir autant de sacs de mille francs que j'ai fait pendre de personnes.

HARPAGON

Tous les magistrats sont intéressés à prendre cette affaire en main; et si l'on ne me fait retrouver mon argent, je demanderai justice de la justice.

LE COMMISSAIRE

Il faut faire toutes les poursuites requises. Vous dites qu'il y avait dans cette cassette...?

HARPAGON

Dix mille écus bien comptés.

LE COMMISSAIRE

Dix mille écus!

HARPAGON

Dix mille écus.

LE COMMISSAIRE

Le vol est considérable.

Il n'y a point de supplice assez grand pour l'énormité de ce crime; et s'il demeure impuni, les choses les plus sacrées ne sont plus en sûreté.

LE COMMISSAIRE

En quelles espèces était cette somme?

HARPAGON

En bons louis d'or et pistoles bien trébuchantes.

LE COMMISSAIRE

Qui soupçonnez-vous de ce vol?

HARPAGON

Tout le monde; et je veux que vous arrêtiez prisonniers la ville et les faubourgs.

LE COMMISSAIRE

Il faut, si vous m'en croyez, n'effaroucher personne, et tâcher doucement d'attraper quelques preuves, afin de procéder après par la rigueur au recouvrement des deniers qui vous ont été pris.

SCÈNE 2

Maître Jacques, Harpagon,
Le Commissaire, Son Clerc

MAÎTRE JACQUES, *au bout du théâtre,*
en se retournant du côté dont il sort

Je m'en vais revenir. Qu'on me l'égorge tout à l'heure; qu'on me lui fasse griller les pieds, qu'on me le mette dans l'eau bouillante, et qu'on me le pende au plancher.

HARPAGON

Qui? celui qui m'a dérobé?

MAÎTRE JACQUES

Je parle d'un cochon de lait que votre intendant me vient d'envoyer, et je veux vous l'accommoder à ma fantaisie.

HARPAGON

Il n'est pas question de cela ; et voilà Monsieur, à qui il faut parler d'autre chose.

LE COMMISSAIRE

Ne vous épouvantez point. Je suis homme à ne vous point scandaliser, et les choses iront dans la douceur.

MAÎTRE JACQUES

Monsieur est de votre souper ?

LE COMMISSAIRE

Il faut ici, mon cher ami, ne rien cacher à votre maître.

MAÎTRE JACQUES

Ma foi ! Monsieur, je montrerai tout ce que je sais faire, et je vous traiterai du mieux qu'il me sera possible.

HARPAGON

Ce n'est pas là l'affaire.

MAÎTRE JACQUES

Si je ne vous fais pas aussi bonne chère que je voudrais, c'est la faute de Monsieur notre intendant, qui m'a rogné les ailes avec les ciseaux de son économie.

HARPAGON

Traître, il s'agit d'autre chose que de souper ; et je veux que tu me dises des nouvelles de l'argent qu'on m'a pris.

MAÎTRE JACQUES

On vous a pris de l'argent ?

Oui, coquin ; et je m'en vais te pendre, si tu ne me le rends.

LE COMMISSAIRE

Mon Dieu ! ne le maltraitez point. Je vois à sa mine qu'il est honnête homme, et que sans se faire mettre en prison, il vous découvrira ce que vous voulez savoir. Oui, mon ami, si vous nous confessez la chose, il ne vous sera fait aucun mal, et vous serez récompensé comme il faut par votre maître. On lui a pris aujourd'hui son argent, et il n'est pas que vous ne sachiez quelques nouvelles de cette affaire.

MAÎTRE JACQUES, *à part*

Voici justement ce qu'il me faut pour me venger de notre intendant : depuis qu'il est entré céans, il est le favori, on n'écoute que ses conseils, et j'ai aussi sur le cœur les coups de bâton de tantôt.

HARPAGON

Qu'as-tu à ruminer ?

LE COMMISSAIRE

Laissez-le faire : il se prépare à vous contenter, et je vous ai bien dit qu'il était honnête homme.

MAÎTRE JACQUES

Monsieur, si vous voulez que je vous dise les choses, je crois que c'est Monsieur votre cher intendant qui a fait le coup.

HARPAGON

Valère !

MAÎTRE JACQUES

Oui.

HARPAGON

Lui, qui me paraît si fidèle ?

MAÎTRE JACQUES

Lui-même. Je crois que c'est lui qui vous a dérobé.

HARPAGON

Et sur quoi le crois-tu ?

MAÎTRE JACQUES

Sur quoi ?

HARPAGON

Oui.

MAÎTRE JACQUES

Je le crois... sur ce que je le crois.

LE COMMISSAIRE

Mais il est nécessaire de dire les indices que vous avez.

HARPAGON

L'as-tu vu rôder autour du lieu où j'avais mis mon argent ?

MAÎTRE JACQUES

Oui, vraiment. Où était-il votre argent ?

HARPAGON

Dans le jardin.

MAÎTRE JACQUES

Justement : je l'ai vu rôder dans le jardin. Et dans quoi est-ce que cet argent était ?

HARPAGON

Dans une cassette.

MAÎTRE JACQUES

Voilà l'affaire : je lui ai vu une cassette.

HARPAGON

Et cette cassette, comment est-elle faite? Je verrai bien si c'est la mienne.

MAÎTRE JACQUES

Comment elle est faite?

HARPAGON

Oui.

MAÎTRE JACQUES

Elle est faite... elle est faite... elle est faite comme une cassette.

LE COMMISSAIRE

Cela s'entend. Mais dépeignez-la un peu, pour voir.

MAÎTRE JACQUES

C'est une grande cassette.

HARPAGON

Celle qu'on m'a volée est petite.

MAÎTRE JACQUES

Eh! oui, elle est petite, si on le veut prendre par là; mais je l'appelle grande pour ce qu'elle contient.

LE COMMISSAIRE

Et de quelle couleur est-elle?

MAÎTRE JACQUES

De quelle couleur?

LE COMMISSAIRE

Oui.

MAÎTRE JACQUES

Elle est de couleur... là, d'une certaine couleur... Ne sauriez-vous m'aider à dire?

HARPAGON

Euh?

MAÎTRE JACQUES

N'est-elle pas rouge?

HARPAGON

Non, grise.

MAÎTRE JACQUES

Eh! oui, gris-rouge: c'est ce que je voulais dire.

HARPAGON

Il n'y a point de doute: c'est elle assurément. Écrivez, Monsieur, écrivez sa déposition. Ciel! à qui désormais se fier? Il ne faut jamais jurer de rien; et je crois après cela que je suis homme à me voler moi-même.

MAÎTRE JACQUES

Monsieur, le voici qui revient. Ne lui allez pas dire au moins que c'est moi qui vous ai découvert cela.

SCÈNE 3

Valère, Harpagon,
Le Commissaire, Son Clerc,
Maître Jacques

HARPAGON

Approche: viens confesser l'action la plus noire, l'attentat le plus horrible qui jamais ait été commis.

VALÈRE

Que voulez-vous, Monsieur?

HARPAGON

Comment, traître, tu ne rougis pas de ton crime?

VALÈRE
De quel crime voulez-vous donc parler?

HARPAGON
De quel crime je veux parler, infâme! comme si tu ne savais pas ce que je veux dire. C'est en vain que tu prétendrais de le déguiser : l'affaire est découverte, et l'on vient de m'apprendre tout. Comment abuser ainsi de ma bonté, et s'introduire exprès chez moi pour me trahir? pour me jouer un tour de cette nature?

VALÈRE
Monsieur, puisqu'on vous a découvert tout, je ne veux point chercher de détours et vous nier la chose.

MAÎTRE JACQUES
Oh! oh! aurais-je deviné sans y penser?

VALÈRE
C'était mon dessein de vous en parler, et je voulais attendre pour cela des conjonctures favorables; mais puisqu'il est ainsi, je vous conjure de ne vous point fâcher, et de vouloir bien entendre mes raisons.

HARPAGON
Et quelles belles raisons peux-tu me donner, voleur infâme?

VALÈRE
Ah! Monsieur, je n'ai pas mérité ces noms. Il est vrai que j'ai commis une offense envers vous; mais, après tout, ma faute est pardonnable.

HARPAGON
Comment, pardonnable? Un guet-apens? un assassinat de la sorte?

VALÈRE

De grâce, ne vous mettez point en colère. Quand vous m'aurez ouï, vous verrez que le mal n'est pas si grand que vous le faites.

HARPAGON

Le mal n'est pas si grand que je le fais ! Quoi ? mon sang, mes entrailles, pendard ?

VALÈRE

Votre sang, Monsieur, n'est pas tombé dans de mauvaises mains. Je suis d'une condition à ne lui point faire de tort, et il n'y a rien en tout ceci que je ne puisse bien réparer.

HARPAGON

C'est bien mon intention, et que tu me restitues ce que tu m'as ravi.

VALÈRE

Votre honneur, Monsieur, sera pleinement satisfait.

HARPAGON

Il n'est pas question d'honneur là-dedans. Mais, dis-moi, qui t'a porté à cette action ?

VALÈRE

Hélas ! me le demandez-vous ?

HARPAGON

Oui, vraiment, je te le demande.

VALÈRE

Un dieu qui porte les excuses de tout ce qu'il fait faire : l'Amour.

HARPAGON

L'Amour ?

VALÈRE

Oui.

HARPAGON

Bel amour, bel amour, ma foi! l'amour de mes louis d'or.

VALÈRE

Non, Monsieur, ce ne sont point vos richesses qui m'ont tenté; ce n'est pas cela qui m'a ébloui, et je proteste de ne prétendre rien à tous vos biens, pourvu que vous me laissiez celui que j'ai.

HARPAGON

Non ferai, de par tous les diables! je ne te le laisserai pas. Mais voyez quelle insolence de vouloir retenir le vol qu'il m'a fait!

VALÈRE

Appelez-vous cela un vol?

HARPAGON

Si je l'appelle un vol? Un trésor comme celui-là!

VALÈRE

C'est un trésor, il est vrai, et le plus précieux que vous ayez sans doute; mais ce ne sera pas le perdre que de me le laisser. Je vous le demande à genoux, ce trésor plein de charmes; et pour bien faire, il faut que vous me l'accordiez.

HARPAGON

Je n'en ferai rien. Qu'est-ce à dire cela?

VALÈRE

Nous nous sommes promis une foi mutuelle, et avons fait serment de ne nous point abandonner.

HARPAGON

Le serment est admirable, et la promesse plaisante!

VALÈRE

Oui, nous nous sommes engagés d'être l'un à l'autre à jamais.

HARPAGON

Je vous empêcherai bien, je vous assure.

VALÈRE

Rien que la mort ne nous peut séparer.

HARPAGON

C'est être bien endiablé après mon argent.

VALÈRE

Je vous ai déjà dit, Monsieur, que ce n'était point l'intérêt qui m'avait poussé à faire ce que j'ai fait. Mon cœur n'a point agi par les ressorts que vous pensez, et un motif plus noble m'a inspiré cette résolution.

HARPAGON

Vous verrez que c'est par charité chrétienne qu'il veut avoir mon bien ; mais j'y donnerai bon ordre ; et la justice, pendard effronté, me va faire raison de tout.

VALÈRE

Vous en userez comme vous voudrez, et me voilà prêt à souffrir toutes les violences qu'il vous plaira ; mais je vous prie de croire, au moins, que, s'il y a du mal, ce n'est que moi qu'il en faut accuser, et que votre fille en tout ceci n'est aucunement coupable.

HARPAGON

Je le crois bien, vraiment ; il serait fort étrange que ma fille eût trempé dans ce crime. Mais je veux ravoir mon affaire, et que tu me confesses en quel endroit tu me l'as enlevée.

VALÈRE

Moi ? je ne l'ai point enlevée, et elle est encore chez vous.

Harpagon

Ô ma chère cassette! Elle n'est point sortie de ma maison?

Valère

Non, Monsieur.

Harpagon

Hé! dis-moi donc un peu : tu n'y as point touché?

Valère

Moi, y toucher? Ah! vous lui faites tort, aussi bien qu'à moi; et c'est d'une ardeur toute pure et respectueuse que j'ai brûlé pour elle.

Harpagon

Brûlé pour ma cassette!

Valère

J'aimerais mieux mourir que de lui avoir fait paraître aucune pensée offensante : elle est trop sage et trop honnête pour cela.

Harpagon

Ma cassette trop honnête!

Valère

Tous mes désirs se sont bornés à jouir de sa vue; et rien de criminel n'a profané la passion que ses beaux yeux m'ont inspirée.

Harpagon

Les beaux yeux de ma cassette! Il parle d'elle comme un amant d'une maîtresse.

Valère

Dame Claude, Monsieur, sait la vérité de cette aventure, et elle vous peut rendre témoignage...

114

HARPAGON

Quoi? ma servante est complice de l'affaire?

VALÈRE

Oui, Monsieur, elle a été témoin de notre engagement; et c'est après avoir connu l'honnêteté de ma flamme qu'elle m'a aidé à persuader votre fille de me donner sa foi, et recevoir la mienne.

HARPAGON

Eh? Est-ce que la peur de la justice le fait extravaguer? Que nous brouilles-tu ici de ma fille?

VALÈRE

Je dis, Monsieur, que j'ai eu toutes les peines du monde à faire consentir sa pudeur à ce que voulait mon amour.

HARPAGON

La pudeur de qui?

VALÈRE

De votre fille; et c'est seulement depuis hier qu'elle a pu se résoudre à nous signer mutuellement une promesse de mariage.

HARPAGON

Ma fille t'a signé une promesse de mariage!

VALÈRE

Oui, Monsieur, comme de ma part je lui en ai signé une.

HARPAGON

Ô Ciel! autre disgrâce!

MAÎTRE JACQUES

Écrivez, Monsieur, écrivez.

Rengrégement de mal! surcroît de désespoir! Allons, Monsieur, faites le dû de votre charge, et dressez-lui-moi son procès, comme larron, et comme suborneur.

VALÈRE

Ce sont des noms qui ne me sont point dus; et quand on saura qui je suis...

SCÈNE 4

Élise, Mariane, Frosine,
Harpagon, Valère,
Maître Jacques, Le Commissaire,
Son Clerc

HARPAGON

Ah! fille scélérate! fille indigne d'un père comme moi! c'est ainsi que tu pratiques les leçons que je t'ai données? Tu te laisses prendre d'amour pour un voleur infâme, et tu lui engages ta foi sans mon consentement? Mais vous serez trompés l'un et l'autre. Quatre bonnes murailles me répondront de ta conduite; et une bonne potence me fera raison de ton audace.

VALÈRE

Ce ne sera point votre passion qui jugera l'affaire; et l'on m'écoutera, au moins, avant que de me condamner.

HARPAGON

Je me suis abusé de dire une potence, et tu seras roué tout vif.

ÉLISE, *à genoux devant son père*

Ah! mon père, prenez des sentiments un peu plus humains, je vous prie, et n'allez point pousser les choses dans les dernières violences du pouvoir paternel. Ne vous laissez point entraîner aux premiers mouvements de votre passion, et donnez-vous le temps de considérer ce que vous voulez faire. Prenez la peine de mieux voir celui dont vous vous offensez : il est tout autre que vos yeux ne le jugent ; et vous trouverez moins étrange que je me sois donnée à lui, lorsque vous saurez que sans lui vous ne m'auriez plus il y a longtemps. Oui, mon père, c'est celui qui me sauva de ce grand péril que vous savez que je courus dans l'eau, et à qui vous devez la vie de cette même fille dont...

HARPAGON
Tout cela n'est rien ; et il valait bien mieux pour moi qu'il te laissât noyer que de faire ce qu'il a fait.

ÉLISE
Mon père, je vous conjure, par l'amour paternel, de me...

HARPAGON
Non, non, je ne veux rien entendre ; et il faut que la justice fasse son devoir.

MAÎTRE JACQUES
Tu me payeras mes coups de bâton.

FROSINE
Voici un étrange embarras.

SCÈNE 5

Anselme, Harpagon, Élise,
Mariane, Frosine, Valère,
Maître Jacques, Le Commissaire,
Son Clerc

ANSELME
Qu'est-ce, seigneur Harpagon ? je vous vois tout ému.

HARPAGON

Ah! seigneur Anselme, vous me voyez le plus infortuné de tous les hommes; et voici bien du trouble et du désordre au contrat que vous venez faire. On m'assassine dans le bien, on m'assassine dans l'honneur; et voilà un traître, un scélérat, qui a violé tous les droits les plus saints, qui s'est coulé chez moi sous le titre de domestique, pour me dérober mon argent et pour me suborner ma fille.

VALÈRE

Qui songe à votre argent, dont vous me faites un galimatias?

HARPAGON

Oui, ils se sont donné l'un et l'autre une promesse de mariage. Cet affront vous regarde, seigneur Anselme, et c'est vous qui devez vous rendre partie contre lui, et faire toutes les poursuites de la justice, pour vous venger de son insolence.

ANSELME

Ce n'est pas mon dessein de me faire épouser par force, et de rien prétendre à un cœur qui se serait donné; mais pour vos intérêts, je suis prêt à les embrasser ainsi que les miens propres.

HARPAGON

Voilà Monsieur qui est un honnête commissaire, qui n'oubliera rien, à ce qu'il m'a dit, de la fonction de son office. Chargez-le comme il faut, Monsieur, et rendez les choses bien criminelles.

VALÈRE

Je ne vois pas quel crime on me peut faire de la passion que j'ai pour votre fille; et le supplice où vous croyez que je puisse être condamné pour notre engagement, lorsqu'on saura ce que je suis...

118

HARPAGON

Je me moque de tous ces contes; et le monde aujourd'hui n'est plein que de ces larrons de noblesse, que de ces imposteurs, qui tirent avantage de leur obscurité, et s'habillent insolemment du premier nom illustre qu'ils s'avisent de prendre.

VALÈRE

Sachez que j'ai le cœur trop bon pour me parer de quelque chose qui ne soit point à moi, et que tout Naples peut rendre témoignage de ma naissance.

ANSELME

Tout beau! prenez garde à ce que vous allez dire. Vous risquez ici plus que vous ne pensez; et vous parlez devant un homme à qui tout Naples est connu, et qui peut aisément voir clair dans l'histoire que vous ferez.

VALÈRE, *en mettant fièrement son chapeau*

Je ne suis point homme à rien craindre, et si Naples vous est connu, vous savez qui était Dom Thomas d'Alburcy.

ANSELME

Sans doute, je le sais; et peu de gens l'ont connu mieux que moi.

HARPAGON

Je ne me soucie ni de Dom Thomas ni de Dom Martin.

ANSELME

De grâce, laissez-le parler, nous verrons ce qu'il en veut dire.

VALÈRE

Je veux dire que c'est lui qui m'a donné le jour.

ANSELME

Lui?

VALÈRE

Oui.

ANSELME

Allez; vous vous moquez. Cherchez quelque autre histoire, qui vous puisse mieux réussir, et ne prétendez pas
vous sauver sous cette imposture.

VALÈRE

Songez à mieux parler. Ce n'est point une imposture; et je
n'avance rien qu'il ne me soit aisé de justifier.

ANSELME

Quoi? vous osez vous dire fils de Dom Thomas
d'Alburcy?

VALÈRE

Oui, je l'ose; et je suis prêt de soutenir cette vérité contre
qui que ce soit.

ANSELME

L'audace est merveilleuse. Apprenez, pour vous confondre,
qu'il y a seize ans pour le moins que l'homme dont vous
nous parlez périt sur mer avec ses enfants et sa femme, en
voulant dérober leur vie aux cruelles persécutions qui ont
accompagné les désordres de Naples, et qui en firent exi-
ler plusieurs nobles familles.

VALÈRE

Oui; mais apprenez, pour vous confondre, vous, que son
fils âgé de sept ans, avec un domestique, fut sauvé de ce
naufrage par un vaisseau espagnol, et que ce fils sauvé est
celui qui vous parle; apprenez que le capitaine de ce vaisseau, touché de ma fortune, prit amitié pour moi; qu'il me
fit élever comme son propre fils, et que les armes furent
mon emploi dès que je m'en trouvai capable; que j'ai su
depuis peu que mon père n'était point mort, comme je
l'avais cru; que passant ici pour l'aller chercher, une aventure, par le Ciel concertée, me fit voir la charmante Élise;

120

que cette vue me rendit esclave de ses beautés; et que la violence de mon amour, et les sévérités de son père, me firent prendre la résolution de m'introduire dans son logis, et d'envoyer un autre à la quête de mes parents.

ANSELME

Mais quels témoignages encore, autres que vos paroles, nous peuvent assurer que ce ne soit point une fable que vous ayez bâtie sur une vérité?

VALÈRE

Le capitaine espagnol; un cachet de rubis qui était à mon père; un bracelet d'agate que ma mère m'avait mis au bras; le vieux Pedro, ce domestique qui se sauva avec moi du naufrage.

MARIANE

Hélas! à vos paroles je puis ici répondre, moi, que vous n'imposez point; et tout ce que vous dites me fait connaître clairement que vous êtes mon frère.

VALÈRE

Vous ma sœur?

MARIANE

Oui. Mon cœur s'est ému dès le moment que vous avez ouvert la bouche; et notre mère, que vous allez ravir, m'a mille fois entretenue des disgrâces de notre famille. Le Ciel ne nous fit point aussi périr dans ce triste naufrage; mais il ne nous sauva la vie que par la perte de notre liberté; et ce furent des corsaires qui nous recueillirent, ma mère et moi, sur un débris de notre vaisseau. Après dix ans d'esclavage, une heureuse fortune nous rendit notre liberté, et nous retournâmes dans Naples, où nous trouvâmes tout notre bien vendu, sans y pouvoir trouver des nouvelles de notre père. Nous passâmes à Gênes, où ma mère alla ramasser quelques malheureux restes d'une succession qu'on avait déchirée; et de là, fuyant la barbare injustice de ses parents, elle vint en ces lieux, où elle n'a presque vécu que d'une vie languissante.

ANSELME

Ô Ciel! quels sont les traits de ta puissance! et que tu fais bien voir qu'il n'appartient qu'à toi de faire des miracles! Embrassez-moi, mes enfants, et mêlez tous deux vos transports à ceux de votre père.

VALÈRE

Vous êtes notre père?

MARIANE

C'est vous que ma mère a tant pleuré?

ANSELME

Oui, ma fille, oui, mon fils, je suis Dom Thomas d'Alburcy, que le Ciel garantit des ondes avec tout l'argent qu'il portait, et qui vous ayant tous crus morts durant plus de seize ans, se préparait, après de longs voyages, à chercher dans l'hymen d'une douce et sage personne la consolation de quelque nouvelle famille. Le peu de sûreté que j'ai vu pour ma vie à retourner à Naples m'a fait y renoncer pour toujours; et ayant su trouver moyen d'y faire vendre ce que j'avais, je me suis habitué ici, où, sous le nom d'Anselme, j'ai voulu m'éloigner les chagrins de cet autre nom qui m'a causé tant de traverses.

HARPAGON

C'est là votre fils?

ANSELME

Oui.

HARPAGON

Je vous prends à partie, pour me payer dix mille écus qu'il m'a volés.

ANSELME

Lui, vous avoir volé ?

HARPAGON

Lui-même.

VALÈRE

Qui vous dit cela ?

HARPAGON

Maître Jacques.

VALÈRE

C'est toi qui le dis ?

MAÎTRE JACQUES

Vous voyez que je ne dis rien.

HARPAGON

Oui : voilà Monsieur le Commissaire qui a reçu sa déposition.

VALÈRE

Pouvez-vous me croire capable d'une action si lâche ?

HARPAGON

Capable ou non capable, je veux ravoir mon argent.

SCÈNE 6

Cléante, Valère, Mariane,
Élise, Frosine, Harpagon,
Anselme, Maître Jacques,
La Flèche, Le Commissaire,
Son Clerc

CLÉANTE

Ne vous tourmentez point, mon père, et n'accusez personne. J'ai découvert des nouvelles de votre affaire, et je viens ici pour vous dire que, si vous voulez vous résoudre à me laisser épouser Mariane, votre argent vous sera rendu.

HARPAGON

Où est-il?

CLÉANTE

Ne vous en mettez point en peine : il est en lieu dont je réponds, et tout ne dépend que de moi. C'est à vous de me dire à quoi vous vous déterminez; et vous pouvez choisir, ou de me donner Mariane, ou de perdre votre cassette.

HARPAGON

N'en a-t-on rien ôté?

CLÉANTE

Rien du tout. Voyez si c'est votre dessein de souscrire à ce mariage, et de joindre votre consentement à celui de sa mère, qui lui laisse la liberté de faire un choix entre nous deux.

MARIANE

Mais vous ne savez pas que ce n'est pas assez que ce consentement, et que le Ciel, avec un frère que vous voyez, vient de me rendre un père dont vous avez à m'obtenir.

ANSELME

Le Ciel, mes enfants, ne me redonne point à vous pour être contraire à vos vœux. Seigneur Harpagon, vous jugez bien que le choix d'une jeune personne tombera sur le fils plutôt que sur le père. Allons, ne vous faites point dire ce qu'il n'est pas nécessaire d'entendre, et consentez ainsi que moi à ce double hyménée.

HARPAGON

Il faut, pour me donner conseil, que je voie ma cassette.

CLÉANTE

Vous la verrez saine et entière.

HARPAGON

Je n'ai point d'argent à donner en mariage à mes enfants.

ANSELME

Hé bien! j'en ai pour eux; que cela ne vous inquiète point.

HARPAGON

Vous obligerez-vous à faire tous les frais de ces deux mariages?

ANSELME

Oui, je m'y oblige; êtes-vous satisfait?

HARPAGON

Oui, pourvu que pour les noces vous me fassiez faire un habit.

ANSELME

D'accord. Allons jouir de l'allégresse que cet heureux jour nous présente.

LE COMMISSAIRE

Holà! Messieurs, holà! tout doucement, s'il vous plaît: qui me payera mes écritures?

125

HARPAGON

Nous n'avons que faire de vos écritures.

LE COMMISSAIRE

Oui! mais je ne prétends pas, moi, les avoir faites pour rien.

HARPAGON

Pour votre paiement, voilà un homme que je vous donne à pendre.

MAÎTRE JACQUES

Hélas! comment faut-il donc faire? On me donne des coups de bâton pour dire vrai, et on me veut pendre pour mentir.

ANSELME

Seigneur Harpagon, il faut lui pardonner cette imposture.

HARPAGON

Vous paierez donc le Commissaire?

ANSELME

Soit. Allons vite faire part de notre joie à votre mère.

HARPAGON

Et moi, voir ma chère cassette.

Composition Euronumérique
Achevé d'imprimer en Europe
à Pössneck (Thuringe, Allemagne)
en décembre 1999 pour le compte de EJL
84, rue de Grenelle 75007 Paris
Dépôt légal décembre 1999

Diffusion France et étranger : Flammarion